pressa de ser feliz

MATHEUS ROCHA

pressa de ser feliz

crônicas de um ansioso

Copyright © Matheus Rocha, 2018
Copyright © Editora Planeta do Brasil, 2018
Todos os direitos reservados.

Preparação: Fernanda França
Revisão: Laura Vecchioli, Giovana Bomentre e Olívia Tavares
Projeto gráfico e diagramação: Márcia Matos
Ilustrações de capa e miolo: Joana Resek
Capa: Departamento de criação da Editora Planeta do Brasil

Dados Internacionais de Catalogação na Publicação (CIP)
Angélica Ilacqua CRB-8/7057

Rocha, Matheus
  Pressa de ser feliz / Matheus Rocha. – São Paulo : Planeta do Brasil, 2018.
  208 p.

  ISBN: 978-85-422-1222-8

  1. Crônicas 2. Ansiedade 3. Autodomínio 4. Felicidade I. Título

  18-0061   CDD 158.1

2019
Todos os direitos desta edição reservados à
EDITORA PLANETA DO BRASIL LTDA.
Rua Bela Cintra, 986 – 4º andar
01415-002 – Consolação – São Paulo-SP
www.planetadelivros.com.br
faleconosco@editoraplaneta.com.br

Dedico este livro a todos aqueles que se sentem sozinhos e incompreendidos. Eu entendo vocês e os aceito do jeito que são. Espero que possam se sentir abraçados pelas minhas palavras.

Respirei fundo.

Senti-me como um perfumista buscando notas no aroma. E esse, essencialmente, tinha cheiro de liberdade.

Não relutei, resmunguei ou reagi. Quando dei por mim, já estava dançando ao som dos meus próprios batimentos cardíacos.

De mãos dadas comigo mesmo.

Numa valsa de amor-próprio.

Prólogo

Quando pensei que tínhamos "pressa de ser feliz", eu estava completamente cego pela ânsia. Cego a ponto de não me deixar perceber que a felicidade está nas menores coisas, feito quando uma joaninha pousa em nossos dedos, feito quando ouvimos um "eu te amo" inesperado, feito quando chove e não temos compromisso, feito quando ouvimos uma música que desperta sorrisos ou quando choramos de alegria como estou, agora, escrevendo isto.

Compreendi, finalmente, que a felicidade não é uma linha contínua. Ela é um conjunto. É uma coleção de momentos especiais que nos levam ao clímax da vida. E que a existência é como uma montanha-russa, de fato. Subidas, descidas, curvas, mas com o propósito de que nos divirtamos. MUITO. E sabe a pior parte disso? Mesmo sendo esse o principal objetivo da vida, geralmente ignoramos toda a diversão. Estamos com tanto medo de cair que, tristemente, fechamos os olhos e perdemos toda a aventura de viver. Deixamos de estender os braços, sentir os cabelos voarem, o vento no rosto, o frio na barriga e trocamos tudo de mais incrível pela segurança mórbida e tediosa do chão firme.

Ainda não sei se escrevi um livro ou se apenas descrevi os meus dias, numa sequência de fatos que foram se somando e me trazendo ao agora. De toda forma, quero dizer que estas não são as palavras de um médico, psicólogo ou psiquiatra. Não há sequer uma fala minha que tenha a menor pretensão de oferecer a você a cura da ansiedade, até porque não consegui curar nem a mim mesmo, já que ser ansioso é inerente ao ser humano.

Escrevi estas páginas porque eu mesmo precisava lê-las. Antes de criar este livro, li muitos outros, em todos os cantos, por todos os lugares, mas não me enxergava naquelas palavras. Sempre havia alguém falando com um tom científico sobre uma coisa que era quase palpável em mim. Eram sempre palavras difíceis para explicar coisas que eu mesmo já havia me perguntado, mas que continuavam sem respostas. De tudo que encontrei pelo caminho tentando me entender como um ansioso, quase nada trazia a voz de um "paciente". E eu tinha sede de uma referência. De apontar o dedo e dizer: "Olha, ele também é como eu!". Foi por isso que este diário precisou nascer. Eu sabia que não estava sozinho no mundo, que muitas outras pessoas compartilhavam dos mesmos sintomas e pensamentos, mas não nos encontrávamos. Não esbarrávamos nas ruas uns nos outros. E eu continuava querendo alguém que se parecesse comigo para conversar, saciando juntos a vontade de não nos sentirmos sozinhos.

Então, dia após dia, fui fazendo deste o meu relicário. Reunindo dos mais simples aos mais exagerados pensamentos, as situações mais embaraçosas e, também, relatos de quando consegui desembaraçar determinadas certezas que pareciam mais confusas do que aqueles fones de ouvido que guardamos na mochila e cujos fios se entrelaçam por conta própria.

Se você me perguntasse qual o meu objetivo com estes textos, eu responderia: abraçar as pessoas por meio das minhas palavras. Ser um amigo que está sempre próximo. Alguém com quem se pode conversar a qualquer hora do dia. Eu só quero lhe oferecer um ombro, lhe contar tudo que vi e ficar, do lado de cá, torcendo para que aquilo que vivi sirva para mostrar que você, que está lendo, não é de outro mundo por sentir o que sente.

Então, depois de resumir minimamente o que irá encontrar de agora em diante neste livro, quero dar algumas simples instruções. Tenha sempre um lápis, uma caneta ou um marcador de texto por perto. Eu só consigo ler deixando as minhas letras no papel. No meu primeiro livro, *No meio do caminho tinha um amor*, confessei que gosto de deixar as minhas marcas nas páginas, e muita gente gostou da ideia. Sendo assim, quero repetir a proposta. Rabisque, risque, desenhe, concorde ou discorde de mim. Do meu livro. Não sinta vergonha ou pena de interagir com os textos. Não simplesmente leia e deixe que eles saiam da sua vida, sem dividir um pouco de você com eles também.

Acredito que livros são como seres vivos e, pensando por esta ótica, digo que todo mundo que entra na nossa vida nos ensina alguma coisa ou, ao menos, nos modifica um pouco. Toda relação, seja ela de qual tipo for, mexe com a gente. Às vezes muito, outras pouco, mas mexe. Então, permita que esse punhado de páginas seja mexido também por você. Escreva este livro comigo. Eu comecei, e você irá terminá-lo. Combinado? (Estou imaginando você, leitor ou leitora, acenando com a cabeça que sim. Por favor, esteja fazendo isso.)

No mais, boa leitura! Tudo que está diante de você foi feito com todo amor, cuidado e carinho. Espero que a minha história se misture com a sua e que a felicidade que temos tanta pressa de alcançar chegue na hora certa... Se é que já não chegou.

Primeira lista

Coisas que comecei a fazer para lidar melhor com a ansiedade

- ☐ LAVAR O CABELO EM UMA ÁGUA QUENTINHA, LENTAMENTE.
- ☐ ARRUMAR A CAMA E TROCAR OS LENÇÓIS POR OUTROS BEEEM CHEIROSOS.
- ☐ VER UM FILME DE COMÉDIA ROMÂNTICA.
- ☐ PEGAR UMA FOLHA EM BRANCO E DESENHAR, INDEPENDENTEMENTE DAS FORMAS QUE AS MÃOS FOREM RABISCAR.
- ☐ ADOTAR UM ANIMALZINHO PARA SER MEU COMPANHEIRO (COMECEI COM PEIXINHOS, MAS MEU PRÓXIMO PASSO É ADOTAR UM CÃOZINHO).
- ☐ ABRAÇAR, BEM FORTE, ALGUÉM QUE AMO.
- ☐ FICAR NO ESCURO, EM SILÊNCIO, RESPIRANDO D-E-V-A-G-A-R.
- ☐ TOMAR SOL NO COMECINHO DA MANHÃ OU NO FINALZINHO DA TARDE.
- ☐ DESCOBRIR QUAL ATIVIDADE FÍSICA COMBINA COMIGO: NATAÇÃO, PILATES, ARTES MARCIAIS ETC (GOSTO DE CORRER E TAMBÉM DE FAZER PILATES, ME AJUDAM MUITO).
- ☐ DAR UM TEMPO DAS REDES SOCIAIS.
- ☐ FAZER UMA VIAGEM PARA ALGUM LUGAR LINDO (ME ENCANTEI COM AS PRAIAS DE SALVADOR).
- ☐ CONVERSAR COM UM TERAPEUTA QUE POSSA AJUDAR A ENTENDER MELHOR O QUE SINTO.

Começos

Às vezes, escolhemos lutar contra monstros mentais que nem pedem socos e pontapés. Abrace-os. Sentir não é errado. Significa que você tem um coração enorme. Um peito em que cabe muita coisa. Então... Só... Sinta. Sinta até a última gota de sentimento. Depois, lave o rosto, sacuda a alma e levante-se. Viver não é só sorrir. Viver é, também, ficar em silêncio. Ainda que cheio de barulho por dentro. E tudo bem. Isso não significa que a sua vida é melhor ou pior, isso não quer dizer que você não é feliz. A felicidade tem um conceito tão deturpado que, se a gente observar bem, já é feliz e nem sabe. Ou finge que não. Ou pensa que não. Ou se confunde. Para ser sincero... estamos todos confusos. Até as certezas absolutas podem mudar. Nada, no fim das contas, é tão absoluto assim. A nossa única convicção é a de que o sol vai nascer e, uma hora ou outra, vai despontar no nosso céu. Mas ele não deixa de iluminar a vida. Ele é tão gigante, em múltiplos sentidos, que empresta sua luz para a lua resplandecer. E ela, olha, ela é o maior exemplo de mutação que nós temos. Não tem o menor receio de minguar, de crescer, de ser cheia, de se mostrar para todos, independentemente da sua forma. Ela não usa máscaras nem disfarces. Ela é. E que nós sejamos também. Principalmente honestos com os nossos sentimentos.

E, POR MAIS
QUE PRA MUITA GENTE
ISSO NÃO SIGNIFIQUE NADA,
PRA mim VALE tudO.

Este sou eu

Eu queria entender uma coisa: por que a gente se limita tanto? Ainda agora, estava conversando com um amigo e quis fazer uma brincadeira com ele, mas pensei comigo mesmo que, talvez, devesse conter o meu humor por medo de desagradá-lo. Mas não, não foi querendo poupá-lo de um constrangimento, não era algo tão sério. Percebi, no fim das contas, que eu estava fazendo aquilo de novo. Aquilo de me resumir ou esconder quem eu realmente sou para que as pessoas gostem de mim.

Parando para analisar desde quando comecei a me tornar esse tipo de pessoa, percebo que isso veio nitidamente da minha adolescência. Nunca fui popular, estava longe de ser o cara mais bonito da sala de aula. Me zoavam porque resolvi ter cabelo grande no ensino médio, usava óculos e era *nerd*. Aquele típico menino dos filmes que os mais velhos, mais fortes e mais populares escolhiam para chamar por apelidos ou amedrontar na hora do intervalo.

Eu estava sempre pela biblioteca, atrás dos livros. Me escondia nas histórias que lia e queria ter vivido, principalmente nas dos super-heróis. Pessoas comuns, como sempre fui, mas que haviam, magicamente, ganhado poderes e passado a rodar por aí, salvando o mundo. Voando. Lutando contra monstros reais, não só os que eu mesmo criava em minha mente e nem sequer sabia como derrotar.

Andava sempre com as mesmas pessoas, mesmo elas sendo tão diferentes de mim. Era o único jeito de não me sentir completamente sozinho, por mais que essa sensação tenha me acompanhado nas aulas de Física, Química, Português, Matemática, exceto nas aulas de flauta doce que precisei fazer porque era obrigatório no colégio. Pelo menos elas, as notas musicais, pareciam me entender. As músicas têm dessas, não é? Elas explicam tudo que a gente não sabe como explicar. Dão conta de tudo que a gente sente. Talvez, por não ter talento suficiente para ser cantor ou músico, eu tenha me tornado escritor. Acho que as palavras lidas ou cantadas são abraços fortes na alma.

Naquela época aterrorizante da escola, eu era meio invisível. Meio esquecido. Meio de lado em tudo. Então, fui criando um mundo meu. Usava todo o meu tempo para levantar uma fortaleza dentro de mim. Acabei construindo um castelo em meu peito, com passagens secretas, calabouços, masmorras, sótão, quartos e mais quartos, salas de estar, de passear, de ficar e também de nunca permanecer.

Mas não via saída para fazer diferente. Veja bem, tenho gostos completamente distintos de todas as pessoas que conheço. E nisso está incluído não gostar de brigadeiro. Nem ser tão fã de chocolate (sei que você me julgou por isso, tá?). Raramente encontro alguém com quem as minhas ideias revolucionárias e as minhas preferências, seja por comida, música ou estilo de roupas, combinem. Meu guarda-roupa tem peças predominantemente pretas, não gosto de sorrir nas fotos, pareço bravo, mas nos fones de ouvido estão sempre tocando os sucessos de um sertanejo qualquer.

Já cheguei ao ponto de, no passado, engolir a seco certas preferências só porque isso me mantinha perto de alguns amigos que eu queria ter. Ou que eram as minhas únicas opções para não continuar sozinho mais uma vez. Me arrependo amargamente por isso. Talvez eu pudesse ter vivido uma vida muito mais leve e feliz se tivesse peito suficiente para enfrentar todos aqueles que, por não me aceitarem diferente, queriam me enquadrar em padrões.

Mas, acredito que tudo tem a hora certa para acontecer. É mais confortável para o espírito entender e aceitar isso.

Na escola, não beijei nenhuma das bocas que quis, não fiz laços mais profundos com quase ninguém, mas prometi para mim mesmo que na faculdade seria diferente. Que iria usar aquele novo começo para ser quem eu sempre gostaria de ter sido, mas não tinha achado espaço suficiente para me tornar.

E ali, na universidade, consegui me reafirmar como sou, depois de alguns semestres. Consegui descobrir ainda mais sobre a minha personalidade, a ponto de já não ter vergonha de algumas coisas. Tive a coragem de assumir algumas características minhas, principalmente as que a grande maioria poderia considerar um defeito. Por exemplo, a minha sinceridade. Digo o que penso sem, às vezes, me importar com as consequências. Mas, se você quiser se manter em um grupo, precisa ser legal o suficiente para permanecer ali. Foi aí que acabei me tornando esse tipo de gente que tem receio de ser quem é por medo de não ser aceito. E todos os meus esforços para um tal recomeço escoaram pelo ralo dos dias.

Para ser sincero, sou exatamente o reflexo de todos os "eus", de todas as épocas que vivi. Ainda me sinto aquele garoto meio feio, o adolescente meio calado, o universitário que luta para se conhecer, e todos se misturaram e acabaram dando forma ao cara maior de dezoito anos que sou agora. O tipo que prefere não fazer uma piada com medo de deixar de ser querido. A pessoa que nem sempre se assume como gostaria por medo das outras estranharem.

Queria mesmo é conseguir ligar o foda-se e dizer em alto e bom som quem eu sou, do que gosto e que, por exemplo, achei tedioso, enfadonho e extremamente chato *O fabuloso destino de Amélie Poulain*, por mais que eu também acredite que são tempos difíceis para os sonhadores.

Que gosto tanto de funk quanto de MPB e que não sou melhor ou pior por isso. Que acho um saco gente que critica o *Big Brother Brasil* ou se acha importante demais para assistir a novelas. Queria ainda conseguir olhar nos olhos dos outros caras sentados nas mesas dos bares e dizer que cerveja tem um sabor extremamente ruim, que parece a água que fica na pia depois que lavamos a louça, que tem cor de xixi, mas que admito que ela é uma ótima desculpa para reunir pessoas ao redor de uma mesa pra uma boa conversa. Ainda que nenhuma dessas pessoas saiba do que está falando, devido ao teor alcoólico.

Viu só o que acabei de fazer? Parece que comprei algumas brigas com fãs de Amélie, com pessoas que odeiam funk e que bebem cerveja como água. Mas imagina quantos amigos fiéis não acabei de fazer? Mesmo sem dizer nada demais. Sem ser escroto. Sem precisar ofender severamente alguém que seja diferente de mim ou pense de outro modo. E o melhor de tudo, não doeu! Acho que só me resta a única e fadada solução que venho adiando pelos últimos vinte e cinco anos: preciso ser eu mesmo. Preciso ser esse cara que é apaixonado por Amy Winehouse e toda aquela profundidade, que só tem três peças de roupas coloridas (contando com duas brancas), que não sabe dançar em boates, mas que adora música eletrônica e se move igualzinho a um boneco de posto de gasolina, que não gosta de molho vermelho no macarrão, sob hipótese alguma, mas adora ele na pizza, ou que ama molho à bolonhesa e acha que uma coisa não tem nada a ver com a outra. São molhos iguais em situações diferentes. Isso muda tudo.

Sou o cara que é extremamente carinhoso, mas odeia gente grudenta. Que não suporta que falem me tocando, dando tapinhas. Que adora praia, mas não entra na água porque ela fede a peixe, arde os olhos, caga o cabelo e nos deixa feito quibes quando voltamos para a areia. Que vai ser o seu melhor amigo, mas vai ter o prazer de ser seu pior inimigo caso isso seja necessário. Que é leal, fiel, prestativo, mas que enjoa de tudo e de todos numa rapidez tão voraz quanto a do brilho de uma estrela cadente.

Enfim... Prazer, este sou eu. Mais um cara comum, com gostos duvidosos e vontades descabidas, mas que tem tentado aprender, dia após dia, que tudo que precisa realmente ser é fiel à própria essência. E que tenta explicar ao coração o que o cérebro já entendeu: às vezes, as pessoas não gostarem de você é uma dádiva. Um alívio. E, que quem te ama vai estar com você até quando você fizer a maior merda de toda a sua vida. Que vai te puxar a orelha, mas depois te asfixiar num abraço.

Ah, a brincadeira do começo do texto? Isso, aquela que eu não fiz. Eu só ia dizer ao Ique que não sabia como a Nathália o aguentava, porque ele é extremamente chato, ranzinza e parece um velho – ridículo confessar que só queria dizer isso, mas tive medo. É cada coisa besta que a gente deixa de fazer por receio, né? Pensando bem, vou mandar uma mensagem para ele agora mesmo. Coisa que gosto de fazer é perturbar os meus amigos. Não vou abrir mão de fazer isso porque a minha parte medrosa quer. A partir de agora, eu é que vou assombrá-la com a minha coragem de ser quem realmente sou. Foda-se todo o resto. Eu quero muito ligar o foda-se. É libertador!

Vou até terminar o texto assim, para soar bem rebelde: FODA-SE!

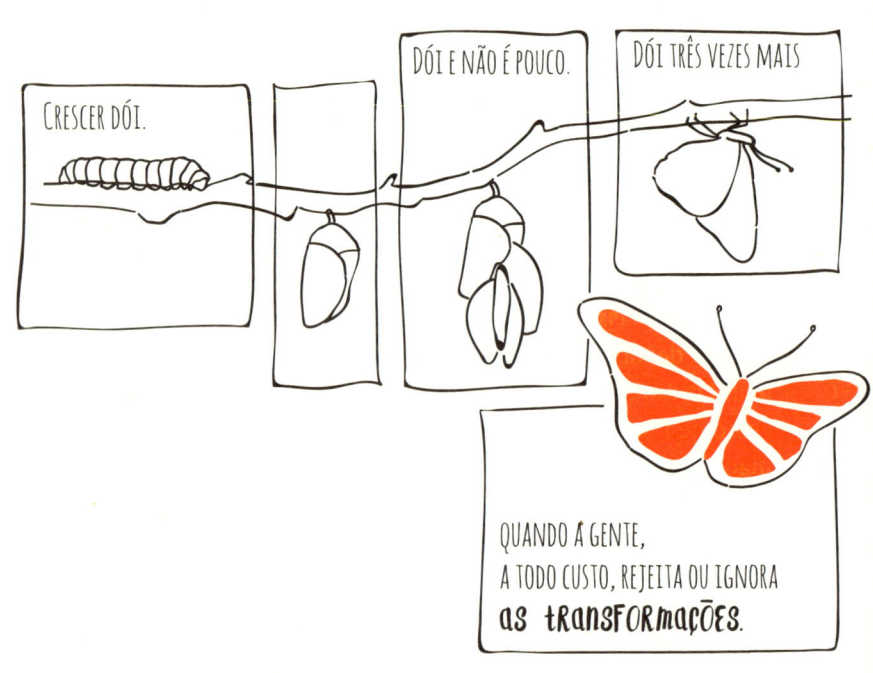

Crescer dói

Eu estava me contorcendo de todas as formas, como se precisasse me espremer para passar pelo buraco da agulha, pela fechadura da porta. Como se eu estivesse me expulsando para fora de qualquer cômodo do meu mundo. Como se precisasse sair de um lugar que, até então, era o porto seguro dentro do meu peito.

Pelo dissabor que minha boca amargava, parecia até inferno astral. Aqueles trinta dias antes do aniversário em que a gente implora ao universo para pegar mais leve, para aliviar nas topadas e nos obstáculos, porque está difícil até respirar. Custaram algumas noites de sono e diversos momentos fitando o escuro do quarto até entender que o meu mal era a dor do crescimento. É a dor de alguém que está mudando. Aprendi isso ainda criança, quando tinha mais ou menos oito ou nove anos de idade, e nunca mais esqueci. Eu sentia muitas dores nos joelhos e na coluna, então minha mãe me levou a um ortopedista que me fez perceber que eu só estava esticando um pouco.

Aparentemente, o médico tinha razão. O único erro que ele cometeu foi não me explicar que os remédios que receitou valeriam apenas por um curto período de tempo. Tinham um prazo de validade. Tinham um objetivo muito específico. Eles eram para os ossos. Para as cartilagens. Eles serviriam apenas para a minha dor física de crescimento. Mas, infelizmente, ninguém nos dá uma receita do que fazer quando a dor é emocional. Quando o coração aperta, quando o cérebro trava, quando um vazio existencial toma conta do nosso peito.

Estiquei, tenho barba na cara, estou, sei lá, não conte para ninguém, perto dos trinta anos, mas tudo ainda me dói. Achei que fosse parar, só que nunca diminui. A gente nunca consegue se acostumar com as mudanças, com os finais, com tudo que precisa ir para as tais coisas novas chegarem. Eu tinha certeza, por exemplo, de que, depois do primeiro fim de namoro, tiraria todos os outros de letra. Até agora, já foram três, em ordem progressiva de sofrimento.

Não pense que é só você: todos sentimos cólicas emocionais tentando evoluir. Sair da casca. Metamorfosear a nossa existência. Crescer dói. Dói e não é pouco. Dói três vezes mais quando a gente, a todo custo, rejeita ou ignora as transformações.

É que estamos vivos, a meu ver, por motivos muito específicos, mas todos se resumem em um só: evolução. Estamos aqui para evoluir, para crescer como seres humanos, entende? Você não é o mesmo que era antes da sua última dor de crescimento. Você não é o mesmo desde a sua última topada. Você não é o mesmo desde que achou que, finalmente, sua vida estava toda organizada, mas levou uma rasteira do destino e viu tijolo a tijolo que empilhou desabar em cima de você.

Tenho uma teoria maluca, mas que quero te contar: na felicidade a gente não aprende nada. Porra nenhuma, se me permite a sinceridade. Os momentos felizes são os curativos que a vida nos oferece porque já sofremos demais, já estamos machucados demais. Nós, eu, você, sua mãe, seu pai, seu ex-namorado, só aprendemos as coisas, de verdade, quando estamos em um momento de dor. E não, eu não quero romantizar a tristeza. Não quero que você se acostume a ela, não quero que se conforme, muito pelo contrário. Me prometa que vai sempre tentar se levantar após cada queda!

Falei sério com o lance do prometer. Acredito no poder das palavras, então, escreva "eu prometo" neste espaço aqui na frente: _____.
Obrigado.

Amigo, crescer dói. Dói e não é pouco. Mas passa. Nem que seja para doer de novo. E viver é exatamente isso, é se equilibrar na corda bamba da existência. É contornar os percalços, é lidar com as adversidades. É querer ser alguém e batalhar diariamente para ser aquele alguém, sem se contentar com nem um milímetro a menos. E é o que todos nós tentamos fazer diariamente.

Se hoje eu encontrasse aquele médico que me atendeu quando criança, só o agradeceria por me oferecer mais do que os medicamentos. Ele me ofereceu uma das lições mais importantes da vida: crescer dói. E não, não é feio reconhecer isso, é uma dádiva. Ninguém disse que a vida seria só bonita e com sonhos realizados. Essa parte feia e dura quase todo mundo omite. Mas, mesmo quando eu chorava por um paliativo, ele foi um dos poucos que tiveram coragem de me dizer que eu só estava evoluindo. Nem que fosse na estatura. O engrossar da alma viria mais tarde. É o meu agora. E eu, hoje, mesmo sem estar preparado para me doer todo, me doo de corpo e alma à minha evolução.

Você
não pode escolher
os acontecimentos
da sua vida,
mas pode decidir
como reagir
a cada
um deles.

O corpo tem outras formas de pedir ajuda

Tudo começou com alguns enjoos depois de comer e logo os sintomas foram se agravando. A descoberta da minha intolerância à lactose veio vinte e cinco anos depois do meu nascimento. Também só descobri na mesma época que, depois de adulto, nosso corpo pode se tornar resistente a certos tipos de alimentos ou substâncias. Foi uma das coisas mais perturbadoras para alguém que ama qualquer derivado de leite.

E, quando me refiro a alguém que ama(va) derivados de leite, estou falando sobre, religiosamente, comer pizza e hambúrguer recheado de cheddar toda semana, entupir os pães com queijo no café da manhã, beber regularmente iogurte, comer biscoitos recheados ou, quem sabe, adorar aqueles sushis com nomes complexos que são feitos com cream cheese. Mas estou de pé. Não tão firme, nem tão forte, mas de pé.

Já faz um bom tempo que sonho em me tornar alguém que tem mais consciência alimentar, que não se rende a todos os desejos, que cuida da saúde, que tem hábitos saudáveis... Mas a gente sempre, sempre e sempre vai deixando para depois. Enquanto ainda conseguimos suportar algumas dores, nos mantemos firmes em pedir mais cinco minutos para acordar para a vida.

Só que uma hora o universo cobra. Acha uma maneira de cutucar as nossas feridas e, com todas as letras, nos perguntar: "Qual vai ser? Até quando você vai se deixar para depois?". E aí, meu amigo, precisamos correr atrás do prejuízo. Precisamos rever ações, certezas, hábitos, rotinas, costumes, tudo aquilo que engessava a nossa vida e nos condenava a sermos sempre as mesmas pessoas das quais não nos orgulhávamos.

Outro dia, uma psicóloga me disse que algumas alergias que surgem assim, depois que crescemos, são formas que o nosso corpo encontra para falar. Ali, diante daquela intolerância recém-descoberta, ele estava me dizendo que rejeitava alguma coisa. Que não queria mais. Que tinha ficado de saco cheio. Que eu precisava olhar para dentro de mim e procurar o que estava fora do lugar.

Na verdade, comecei falando de alergias para me usar como exemplo vivo de como precisamos rever as nossas vidas o tempo todo, mesmo quando temos certeza absoluta de que algumas coisas são imutáveis. Num dia eu poderia me fartar de tanto comer tortas de chocolate. No outro, a menor quantidade de manteiga me embrulharia o estômago. A nossa história, às vezes, tem reviravoltas impressionantes. Coisas que nem mesmo roteiristas de cinema poderiam inventar. E, se o fizessem, olharíamos e desdenharíamos: *Isso nunca aconteceria na vida real.*

Acontece que a vida nos oferece novos desafios todos os dias, mas nenhum deles tem o objetivo de nos parar. São novas oportunidades para ganharmos impulso. São as motivações que faltavam para que tomássemos decisões primordiais nas nossas vidas. Para que finalmente entendêssemos a necessidade de correr atrás daquilo que almejamos.

E nisso estão inclusos os mais diversos tipos de adversidades: tirar zero numa prova, reprovar numa matéria da faculdade, perder o emprego, terminar um relacionamento que era muito importante para você, perder o metrô, o ônibus, chegar atrasado para um voo, perder cinquenta reais ou perder um livro, enfim, a vida sabe pregar mil peças quando ela quer que aprendamos alguma coisa significativamente. E essas "pegadinhas", usando aqui um eufemismo, virão dos lugares que a gente menos espera.

Alguns especialistas dizem que a intolerância à lactose pode desaparecer espontaneamente, da mesma forma que chegou. Se isso vai acontecer comigo, não sei, mas tenho feito tudo que está ao meu alcance para conviver melhor com essa situação. Pode ser que sejamos companheiros para sempre, mas de uma coisa ela já me serviu: fez eu me enxergar por outro ângulo. E você? O que tem feito diante do que te aflige e emite sinais claros de que alguma coisa precisa mudar na sua vida? Vou oferecer um conselho de irmão: não espere até seu corpo gritar por socorro para se salvar de si. Aos menores sintomas, aos menores sinais, peça ajuda. Se ajude. Se salve. Se cure.

A MINHA PAZ INTERIOR
AINDA SERÁ CAPAZ
DE FORMATAR O MEU CORAÇÃO

E DEIXAR SÓ OS ARQUIVOS
QUE MEREÇAM
FICAR NA MEMÓRIA.

Preciso formatar o meu coração

Tenho lutado todos os dias contra uma infinidade de coisas, preciso confessar. Mas, para explicar de uma forma objetiva, tenho que me ater à subjetividade de uma analogia, então... Vamos lá? Imagine que a minha vida está tão bem programada quanto um computador em pleno funcionamento, mas que foi infectada pelo vírus da ansiedade, e isso tem travado os meus programas, principalmente aquele cujo ícone tem escrito "paz".

Seguindo essa lógica, preciso comentar que já fiz o que todo mundo que não entende de computadores, mas precisa resolver um problema, faz: procurei um especialista. Depois de fazer uma varredura em meu sistema, ele chegou à conclusão de que o único componente capaz de me curar é uma peça que fica guardada dentro da minha placa-mãe, ou melhor, dentro do meu coração. Essa peça se chama estabilidade emocional. É assim que todos os meus circuitos trabalham em equipe, me livram dos pensamentos pessimistas, do medo de estragar, de dar uma pane geral ou até mesmo de queimar.

Só que essa peça não é passível de compra. Fica escondida dentro do computador, e só com muita paciência é possível acessá-la. E, sim, já perguntei ao moço que está fazendo manutenção se ele seria capaz de pegá-la para mim, mas a resposta é mais desafiadora do que animadora. Ele me disse que pode me ajudar até certo ponto, mas que, como é algo único e moldado para cada aparelho, só eu sou capaz de chegar lá e reconhecer sua forma.

Agora, estou aqui brincando de caça ao tesouro, usando o mapa que está desenhado em meus pensamentos como guia para achar a tão valiosa estabilidade emocional. Pelo caminho, tenho encontrado arquivos inúteis e aproveitado para enviá-los para a lixeira, junto às sensações desnecessárias e às angústias que não me servem mais.

Por fim, quero relembrar que estou lutando. Sei que uma hora serei capaz de acessar facilmente o antivírus que é a tal estabilidade e me livrarei da ansiedade. A minha paz interior ainda será capaz de formatar o meu coração, deixando apenas os arquivos que mereçam ficar na memória. Até lá, sigo em manutenção. Me cuidando cada dia mais, me conhecendo cada vez mais e aprendendo sempre mais para ser meu próprio técnico em informática... ou deveria chamar de psicólogo?

SILENCIOSAMENTE,
ESTOU ME AFASTANDO
DE TUDO QUE NÃO ME FAZ BEM.

Sem alarde, que é para

as energias ruins
não me seguirem.

Estou de braços abertos, esperando uma nova vida

Para dizer com exatidão o local onde estou agora dentro de mim, preciso que você tope fazer um exercício comigo. Imagine, por favor, o engarrafamento mais caótico que você já vivenciou. As buzinas, os escapamentos dos carros, os vidros fechados escondendo pessoas inquietas, insatisfeitas, atrasadas, apressadas e congeladas pelo frio artificial do ar-condicionado.

Pense também numa casa junto à estrada. É aqui que vivo. Sim, paralelo a uma grande rodovia. Depois disso, continue a criar na sua cabeça a imagem da construção de um edifício enorme, quase sufocando esse meu lar. Um arranha-céu. Homens trabalhando, gritos, palavras de ordem, barulhos de britadeira, de concreto sendo feito, derramado, tijolos sendo empilhados.

Se você ainda não desistiu de entender o lugar onde estou dentro de mim, imagine que o vizinho do outro lado resolveu ouvir música alta. Mas uma música da qual você não suporta nenhum dos timbres, dos acordes. De que você sente repulsa e não pode, de forma alguma, abaixar o volume.

Você pode e deve me perguntar: "Guri, como você caiu de mala e cuia dentro de uma casa no meio desse caos? Você não escolheu estar aí?". Para todas essas dúvidas, que são minhas também, tenho uma resposta simples e confusa, como tudo que ecoa dentro de mim: sim e não. Eu me permiti estar aqui, mas não quero continuar.

Acontece com todos nós. Deixamo-nos embebedar pelo fluxo das cidades, pela correria da informação, pela necessidade da atualização, pela rapidez das notícias, pelas mensagens do celular. Deixamo-nos embebedar pela roupa da moda, pelo vício de querer sempre algo além de tudo aquilo que já temos. E, nessa corrida louca e aparentemente sem fim, entramos num ciclo que, por não ter começo, também não tem fim. Ou melhor, podemos inventar um.

Se você topar caminhar comigo só mais um pouco, quero que imagine que nos fundos dessa minha casa tem um caminho de terra entre algumas árvores e plantas. Mas já aviso: não será uma caminhada simples. Essa não é uma trilha usada por muitos outros viajantes ou fugitivos dos seus próprios mundos. É preciso muita coragem para deixar para trás o caos que se é. Deixar para trás os interesses fúteis, as conversas fiadas. Não é todo mundo que tem peito suficiente para bater o pé e dizer: "Para mim, essa vida agitada, confusa e estranha não é suficiente".

Se você ainda não entendeu para onde estamos indo, amigo, quero pedir desculpas de antemão. Eu também não sei, mas estou curioso para descobrir. Por ora, posso adiantar que tenho tentado seguir a minha intuição e ir para longe de todos os ruídos que me afastem de mim. Que me levem para longe da minha calma. Eu quero escolher seguir por um caminho um tanto quanto difícil, que é o da paciência. Quero ir de braços abertos para uma nova vida.

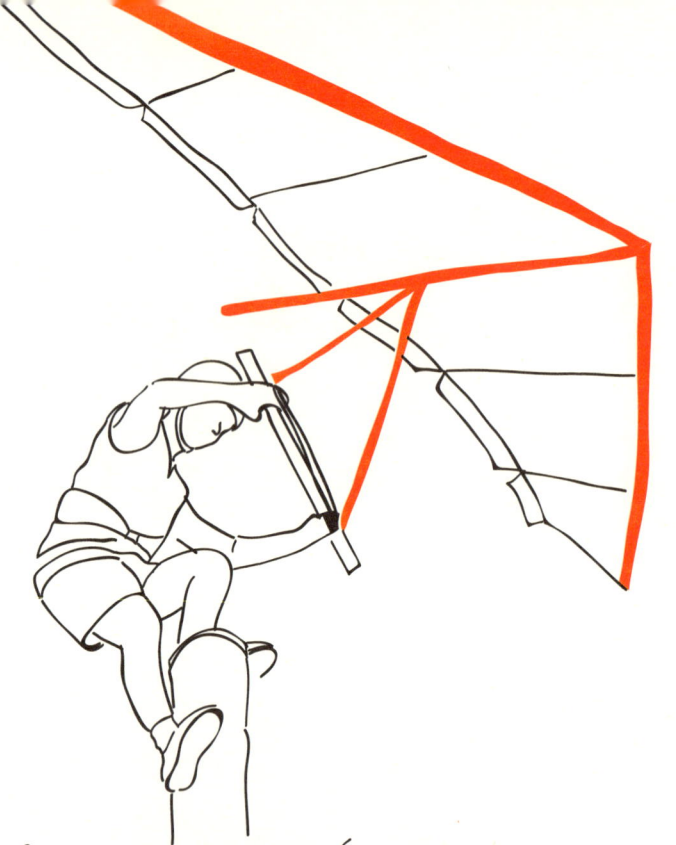

Sofro de **ataques** súbitos de coragem,

seguidos de **arrependimentos** instantâneos.

Mestre em diálogos shakespearianos

Num segundo, sou capaz de aumentar a minha voz, guerrear trezentas batalhas e enfrentar tudo e todos em busca daquilo que me fará feliz. No minuto seguinte, me arrependo, quero apagar as minhas palavras, os meus atos, a minha existência. É como gritar e sair correndo antes que o som seja audível. Antes que seja tarde demais para voltar atrás.

Sofro de ataques súbitos de coragem, seguidos de arrependimentos instantâneos. Sou aquele alguém cuja ansiedade, em certos momentos, guia os passos, os atos, controla feito ventríloquo. Mas não ache que isso é algo que acontece o tempo todo. Definitivamente, não. Para ser sincero, só quando quero muito alguma coisa. Aí, amigo, já era. Meu olhar se embaça, minha direção perde a reta e eu só consigo acelerar. Como se todos os meus freios estivessem quebrados. Como se eu tivesse me sabotado e cortado todos eles.

Para ser mais específico, às vezes quero tanto uma coisa que, nesse curto tempo de valentia, minimizo completamente as margens de erro, ignoro tudo aquilo que pode não vingar e me lanço. Às vezes, caio de precipícios morais e só me dou conta do que fiz quando já estou em pedaços. Em prantos. Desejando que tudo aquilo não passe de um terrível pesadelo.

Se você não age ou sente como eu, deve estar, neste segundo, me taxando de louco, alguém fora de controle, e talvez eu até seja. É como ter a ousadia de me declarar, de fazer um pedido importante ou implorar por algo quando, na verdade, nada daquilo merecia esse tom de... fim do mundo. É isso. Às vezes, transformo uma pequena frase num diálogo shakespeariano.

Pelo andar da carruagem, existe o momento certo para tudo. E eu vivo queimando as largadas. Vivo atropelando meus próprios passos, me embolando nos cadarços que amarram os meus atos e caindo no choro.

Meu desejo é querer em paz e não me arrepender de nada, nem por tentar. Nem por ser corajoso o suficiente para ir em busca da minha felicidade. Não é isso que dizem para a gente fazer? Correr atrás dos sonhos? Talvez o problema não seja esse. Eu não sigo as receitas. Coloco fermento demais e, quando noto, o bolo cresceu mais do que a própria forma. Aparentemente, a vida não foi feita para os ansiosos. Ela requer, como eu disse, um nível de autocontrole que ainda estou aprendendo a ter. Sou intenso demais. Eu só não sei se esse é um grave defeito ou a minha maior qualidade.

Não é que eu acorde e sinta preguiça.

Veja bem... Eu acordo e desejo outra realidade.

Não é preguiça

Levantar da cama pela manhã é sempre uma das partes mais difíceis do meu dia. Primeiro porque, até pegar no sono, precisei beirar a exaustão de tanto pensar. Segundo porque, só depois de rever toda a minha vida sem parar, consegui finalmente descansar, mas não o suficiente. Terceiro porque, depois de acordar e receber de volta toda aquela carga mental, ainda preciso ir lá fora e enfrentar o mundo, quase sempre hostil demais para quem tem um peito urgente como o meu.

Ainda na cama, tento assimilar o que foi sonho, o que é real e o que eu criei. Sinto que meu corpo andou quilômetros enquanto eu estava com os olhos fechados. E olha que nem posso reclamar da cama que tenho. Ela quase me abraça enquanto deito. Sem falar que a recheio com, pelo menos, quatro travesseiros que complementam a sensação de abrigo e proteção. Minha mãe até brinca que eles têm mais espaço que eu, mas... nada disso ajuda muito.

O cheiro de café fresco não me convida a levantar da cama, o dia bonito que entra pelo pedaço quebrado da persiana, que eu já deveria ter trocado faz um bom tempo, não me convida a levantar da cama, os passarinhos cantando na janela não me convidam a levantar da cama, a música animada que eu uso como despertador não me convida a levantar da cama... Meu corpo só quer se render, se entregar, jogar tudo para o alto sem se importar em ter que catar depois.

Tenho o costume de acordar e nem sair do lugar. Ficar ali mesmo, esperando tudo se acalmar dentro de mim, esperando a minha lucidez voltar e, vagarosamente, ir me convencendo de que a minha vida não pode parar. De que os compromissos, por mais assustadores que sejam, precisam da minha presença. Garanto, é angustiante duelar consigo mesmo quando uma parte de você pede a proteção dos cobertores e uma trincheira de travesseiros, ainda que a outra entenda completamente a necessidade de seguir de pé. Acordo sempre com a boca seca, os pés e os braços doloridos e o restante do corpo como se tivesse lutado uma guerra inteira. A pior parte é dizer a alguém que já acordo cansado e precisar ouvir: "É só preguiça, você despertou ainda agora".

Mas eu nunca jogo a toalha. Eu nunca me dou 100% por vencido. Então, depois de quase estar atrasado para tudo e já ter essa sensação instalada dentro de mim, sento-me na cama, tento fazer um alongamento mínimo, uma prece para que o meu anjo protetor me guie por mais vinte e quatro horas e salto com o pé direito, que é para garantir pelo menos um pouco de sorte. Calço as minhas pantufas do Mickey e daí por diante tudo é vitória.

Venço, todo santo dia, quando não me rendo à vontade de ficar na cama, quando olho para as minhas tarefas diárias cumpridas, quando me motivo o suficiente para rever amigos, sair da rotina, criar novos laços, respeitar os meus limites e, principalmente, quando consigo ganhar o duelo contra a minha metade que só queria a zona de conforto que um quarto escuro e silencioso pode oferecer.

A calma é a melhor companhia para um ansioso.

Agitado por natureza

Viajar de férias, para mim, nunca foi sinônimo de descanso. Sou aquela pessoa que meses antes programa cada segundo e ocupa todos os espaços de tempo com passeios, excursões, roteiros. A ideia de ir para algum destino e não explorá-lo ao máximo é revoltante. Se é para estar num lugar novo, então preciso esgotar todas as possibilidades de entretenimento disponíveis.

Levei muito tempo para perceber que até nisso a minha ansiedade falava por mim. A quietude me incomodava. Estar parado me dava pânico, porque era justamente nessas horas de tédio que os meus pensamentos se multiplicavam, me dominavam, me levavam para passear por caminhos difíceis, repletos de percalços, pedras, despenhadeiros, precipícios.

Lembro-me de uma vez que fui ao Rio de Janeiro e não consegui sequer ver alguns amigos que moravam lá, porque a minha agenda de compromissos estava lotada antes mesmo de o avião pousar. Fiz uma lista de todos os pontos turísticos que gostaria de conhecer, comprei alguns pacotes e hoje tenho diversas fotografias, que vão do bondinho do Pão de Açúcar ao Cristo Redentor. Mas aqueles momentos que eu poderia ter aproveitado para matar a saudade de uma porção de gente querida foram ocupados pelo meu medo de ficar parado. Meu medo de pensar.

Perdi a oportunidade, na ocasião, de conhecer o Matheus. Um amigo-xará que mora em terras cariocas e que já me acompanhou, ainda que à distância, em diversos momentos da minha vida, principalmente naqueles mais difíceis como os finais de relacionamentos. Enquanto eu poderia estar celebrando essa amizade, estava dentro de um ônibus com diversos outros turistas, ouvindo a guia apontar a localização das casas de alguns famosos, como, por exemplo, a do rei Roberto Carlos (de quem eu não consigo ouvir sequer uma música). Um programa tão tedioso que me revirava o estômago a cada nova rua em que o veículo entrava.

E isso não vale só para o Rio, não: foi a mesma coisa quando fui a São Paulo pela primeira vez. Acho que em umas duas ou três horas visitei o Mercadão Municipal, disse um "oi" para a rua 25 de Março, corri para o bairro da Liberdade e quase que fui de uma ponta à outra da avenida Paulista. Se você me perguntar o que achei de cada um desses lugares, posso garantir que amei, com sinceridade. As minhas diversas fotos não me deixarão mentir. Tampouco as legendas do Instagram. Só não me permiti explorá-los a fundo porque estava inquieto demais para me entregar ao desconhecido e esmiuçar tudo que aqueles lugares abrigavam.

Confesso que sequer me lembro do gosto que o sanduíche de mortadela, o prato mais famoso do Mercadão, tem. Não que eu não saiba qual é o gosto de uma mortadela, mas, aparentemente, a de lá é diferente. Eu nem a mastiguei com vontade. Pedi para o moço embrulhar para viagem. E foi exatamente isso que acabei fazendo com todos os outros momentos. Embrulhava para viagem, mas, quando voltava da viagem, não tinha mais como desembrulhar. Os momentos haviam passado, as oportunidades também, e eu, para variar, estava cego de ansiedade.

Sou agitado por natureza ou agitei a minha natureza para que ela não me permitisse ficar estático. E só quem também já passou por isso sabe o quanto é ruim. Às vezes, só queremos parar, deitar por alguns minutos e sentir o corpo relaxar. O sono até existe, a cama é tão confortável que quase me abraça o corpo, mas a cabeça, olha, a minha cabeça me tira a paz. Ela me lembra de algo que aconteceu há dez anos ou do presente que preciso comprar para um aniversário que só chegará daqui a três meses.

Depois que percebi que estava apressando tudo, o tempo todo, venho me policiando para evitar que isso volte a acontecer. Tenho feito isso até mesmo aos finais de semana, feriados ou momentos de folga. Sempre que a vida para, mesmo que eu só tenha disponível a minha casa, desligo os meus despertadores, coloco o celular no modo silencioso e procuro um espaço macio o suficiente para aconchegar meu corpo. Só saio dali para encher a barriga com algo que a faça sorrir. Posso garantir que esse combo beira o paraíso com sabor de perfeição.

Escolho agora, por exemplo, lugares de férias que me permitam descansar, contemplar a natureza, fugir da rotina e me render à delícia que é não ter horários rígidos e compromissos, para que eu possa me entregar ao nada. Ficar deitado, com a minha roupa mais confortável, e sentir que estou disponível somente para respirar.

Se você estiver fazendo tudo que for possível,
não se cobre tanto.

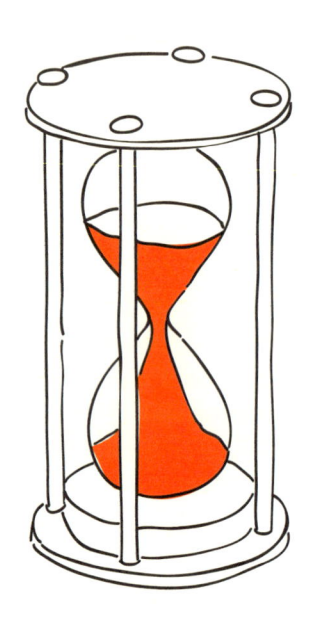

Certas coisas não dependem
da gente
para acontecer.

Talvez eu só esteja me cobrando demais

Que droga. Me sinto estragado. Me sinto como um jeans surrado, um CD arranhado. É isso. Um CD arranhado que fica repetindo a mesma faixa, a mesma sequência de pensamentos – *Você não merece ser feliz* – num *looping* que não acaba nunca. Que ecoa por dentro de mim com uma força e uma violência absurdas. É tão forte quanto um soco no estômago. Ou três vezes pior.

Deus, qual é o meu defeito? Por que será que não me sinto merecedor da felicidade? Por que será que eu sempre espero o pior da vida, das pessoas, das relações, das promessas que me fazem? Será que precisarei passar a vida inteira me remontando, me reerguendo, procurando os pedaços de mim que foram esmagados por experiências passadas?

Odeio me sentir cheio de cicatrizes, mas é exatamente assim que me sinto. Como alguém que carrega marcas, cortes feitos por palavras, por fracassos, por insucessos, por inverdades, por vaidades. Odeio precisar me esforçar para ser uma pessoa alegre ou agradável aos olhos que esperam isso de mim. Sei lá, ninguém tem nada a ver com as minhas dores, não precisam carregar as minhas cruzes.

Eu só queria, mesmo, de verdade, de uma vez por todas, fazer as pazes comigo mesmo. Me pegar no colo, me colocar para dormir e acreditar que, no fim, vai ficar tudo bem. Eu só queria me permitir ser positivo, ser otimista, ser aquela pessoa que realmente acredita no futuro, que acredita que as pessoas estão neste mundo para fazer o bem, ajudar umas às outras.

Acontece, amigo, que só quem já dormiu uma dezena de noites em prantos, numa sequência que parecia não ter fim, sabe quão terrível é a sensação de se sentir um disco esfolado que fica repetindo a mesma faixa: *Você não merece ser feliz*. E que, por mais que você entupa os ouvidos com uma música boa, aquele barulho, aquela voz que sussurra a terrível frase ainda continua forte. Com volume suficiente para se fazer audível.

É como se os meus olhos estivessem vendados para saber por qual caminho seguir. É como se os meus sentidos estivessem adormecidos, dopados. É como se eu, depois de tanto sofrer, tivesse aceitado que aquela era a minha condição eterna. Que nada nem ninguém pudesse me fazer ver a alegria ao vivo. De forma palpável. Com arrepios percorrendo todo o corpo.

Talvez eu só esteja me cobrando demais. Talvez eu só esteja me sabotando de novo. Talvez eu só tenha uma cicatriz muito grande no coração, bem no pedaço que guarda a sensação de felicidade. O pior de tudo é não saber que remédio passar para fazer isso sarar. Fazer desaparecer de uma vez e não deixar sinais. Nem em mim, nem nas horas perdidas de sono.

Acho que eu só devo descansar um pouco, molhar o rosto ou tomar um banho bem quente e seguir em frente. Viver. Assim. Um dia após o outro. Sem esperar me sentir feliz, mas permitindo que essa sensação me invada o peito.

Preciso parar de me defender de tudo. Desligar o meu modo "combate". Só é difícil. É difícil acreditar que depois de lutar tanto para me reerguer diante das más experiências, qualquer nova expectativa não vá me derrubar outra vez. Mas, se com as cercas elétricas ligadas em volta de mim eu não consigo estar contente, chegou a hora de desarmar as minas que escondi, desativar os alarmes para qualquer inseto, bicho ou ser humano que chegue próximo a mim. Eu preciso parar de ter medo de viver.

O mar
me deixa
de maré cheia
de FELICIDADE.

Eu sempre fujo para ver o mar

Nunca estive no polo Norte ou em qualquer outro lugar em que faça tão frio quanto, mas sou capaz de descrever, com riqueza de detalhes, como é sentir as temperaturas baixas queimarem o seu corpo. É que dentro de mim faz frio em certas ocasiões. Não importa o calor do dia, ainda que a sensação térmica beire os quarenta, cinquenta graus, meu peito se transforma em um picolé, só que o sabor disso não é tão gostoso quanto um.

Quase sempre, quando esse estado de espírito chega, corro para o mar. Não o mar de verdade. Até moro relativamente próximo a uma praia, mas não é sempre que posso contemplá-la. Sendo assim, uso a internet para colocar o som das ondas. De alguma forma inexplicável, aquilo me acalma e me deixa hipnotizado. Cavo buracos mentais, enterro todos os meus problemas e saio caminhando pela areia. Já cheguei até a passar uma hora inteira imóvel, deitado na cama, com os fones de ouvido ecoando aquele mantra por todo o meu corpo. Um estado de meditação em que eu acabo passeando por toda a minha vida.

Você já fez isso? Se não, tente. Por favor, não deixe para depois. Se puder, faça agora, neste exato minuto. Continue lendo isso com o barulho do mar. É só ir ao YouTube e digitar exatamente isto: barulho do mar. Você terá horas e mais horas do som mais relaxante do mundo para escutar sem precisar sequer se molhar.

Fez?

Espero que sim! Infelizmente, não posso verificar...

Às vezes sinto que aquele frio que me congela é reflexo da minha impotência diante do que me sufoca. Parece que quanto mais luto para conquistar certas coisas, mais elas se afastam. Se eu dou um passo na direção delas, elas correm dois. Se eu vou mais dez, elas se distanciam vinte. Sei que posso ir longe, não me oponho de forma alguma à caminhada, mas é que... É tão cansativo, às vezes, lutar tanto... Sinto-me desmotivado. Com mãos e pés atados.

E aí eu corro para o mar. Porque parece que ele me entende sem que eu precise dizer uma só palavra. Ele, assim como eu, é misterioso, silencioso. É claro que também tem seus momentos de ressaca, de tsunami, ele sabe gritar. E ele grita para o oceano inteiro ouvir, ainda que, do lado de fora, nem sequer uma gaivota escute seu resmungar. O meu, também, pouca gente ouve. Não sou de me fazer audível. Emito sinais tão subjetivos que nem mesmo quem está por perto consegue ver ou ouvir, a menos que esteja realmente prestando atenção a mim.

Mas o mar, ah, sinto que somos uma espécie de irmãos gêmeos de placentas diferentes. Tanto ele quanto eu somos o tempo todo feitos de ondas. Recuamos, avançamos, recuamos, avançamos, num *looping* infinito. Eu só queria mesmo é saber como ele não se rende, como ele aprendeu a recuar nos momentos certos, mas sabe partir para a orla com toda vontade, na hora exata. Talvez essa seja a nossa única diferença. Sinto-me dessincronizado. Agindo por impulso ou quando não há mais outra saída. Queria saber como ele, o meu irmão, tem força suficiente para não se deter pelas rochas, como ele sobrevive apesar de todo esgoto que desaguam nele. Eu, ao menor sinal das farpas que me lançam, me perco, desmorono, me ponho a desaguar.

Por não ter essas respostas, sou obrigado a conviver com a intuição. Sigo intuitivamente por dentro de correntes marinhas de pensamentos, que tentam me levar para outras praias, para outras ilhas, enquanto peço socorro aos navios que passam próximo, ficando à deriva na existência, nadando, nadando e me recusando a abrir mão de tudo que quero porque o mar não está para peixe.

E, olha, me permita contar mais uma coisa: do que eu mais gosto no mar é a sua capacidade de energizar a gente. Parece que aquele som sagrado que ele emite tem algum poder mágico, como se fosse o cobertor que me faltava, quando os momentos de polo Norte me ganham o coração. Ele sempre me motiva a seguir em frente. Ou melhor, acho que a única direção possível de se seguir é essa.

Então, é para lá que eu vou, na esperança de gritar: "Felicidade à vista!".

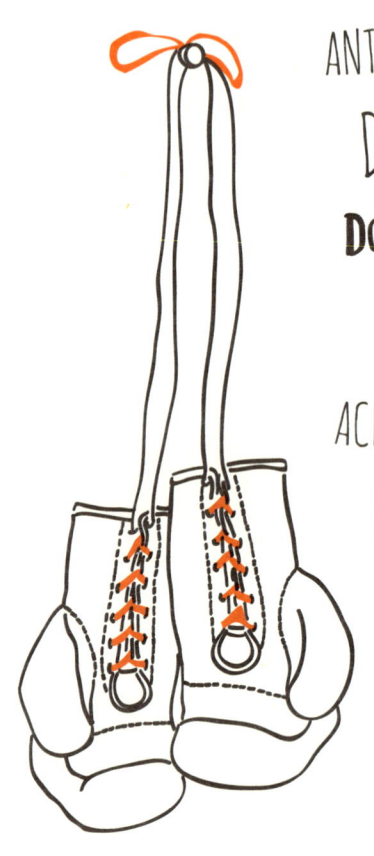

ANTES DE DAR CERTO,
DÁ ERRADO.
DÁ MUITO ERRADO.
VOCÊ SE DESESPERA,
ACHA QUE VAI ENLOUQUECER,
PERDE A NOÇÃO.
E, AÍ, FINALMENTE,
A FELICIDADE CHEGA.

No ringue da vida, a gente apanha, mas também bate

Tenho, desde criança, uma mania de escrever num caderninho tudo que quero – tudo que *espero*, principalmente, que aconteça. Ganhei uma vez uma espécie de diário, que vinha acompanhado de um cadeado. Aquele era o meu lugar favorito no mundo. Ali, eu deixava todas as minhas memórias, as minhas confissões, as minhas paixões, as minhas repulsas; ali eu depositava todas as minhas esperanças no futuro. E repito isso até hoje. Não mais no mesmo caderninho, por falta de folhas.

Agora mesmo, eu já tinha decorado diversas páginas do meu novo caderno-amigo com os detalhes, as datas, as programações exatas e totalmente contabilizadas, com margem de erro, para o que fazer depois de subir ao pódio. Mas a vida nos força, mesmo a contragosto, a percorrer caminhos inimagináveis. Foi como esquecer aquelas páginas na chuva e vê-las manchar a cada gota que caía, estando com mãos e pés atados, sem poder socorrer aquele punhado de sonhos que estava prestes a se perder. E preciso dizer que estou descontando cada centavo da minha frustração em lágrimas. Já compreendi que elas não serão capazes de me arrumar as soluções de que preciso, e entendo que nenhuma gota vai se transformar na ponte que poderia me ajudar a chegar mais rápido aonde quero. Ainda assim, preciso secar a fonte da tristeza.

Esta não é a segunda, e sei que também não será a penúltima vez em que nem tudo saiu como está escrito em meu caderno. Que treinei, me mantive focado, comprometido, mas quase fui nocauteado. Parece, para ser sincero, que a cada nova rasteira que a vida dá na gente, fica mais difícil se recompor. Manter-se de pé mais uma vez. Reunir forças, tiradas sabe-se lá de onde, para colocar a cabeça no lugar, superar o primeiro impacto e voltar à luta.

Estou naqueles segundos que antecedem a vitória, quando, depois de apanhar muito, o lutador está caído no tatame, respirando com dificuldade e repleto de machucados por todas as partes. É exatamente nessa hora que a gente se lembra de como chegou até ali, do tanto que batalhou, de quanto já caminhou, e se dá conta de que está longe demais para voltar atrás. Quando não há mais para onde afundar, o fundo do poço se torna trampolim. Dali, a gente só pega impulso para chegar ao topo e nocautear as adversidades.

na vida é assim:
OU CRIAMOS CORAGEM
E DECIDIMOS O NOSSO RUMO,
APESAR DO MEDO,

OU A PRÓPRIA VIDA ESCOLHE POR NÓS,
E, AÍ,
**PRECISAMOS CONVIVER
COM O QUE VIER.**

Eu adoro ketchup

Sou aquele tipo de pessoa que passa horas para escolher uma roupa para sair ou que demora uma vida inteira experimentando peças antes de definir qual comprar. Queria mesmo é ser como minha mãe. Ela chega ao shopping e, no estacionamento, já sabe a qual loja vai. Chega lá, bate o olho e solta um sonoro: "Pode embalar". Ela sequer prova, algumas vezes. Eu ainda questiono: "Mas e se ficar folgada ou apertada?". E ela rebate: "Eu me conheço, sei o que me serve ou o que não me cabe". Queria eu ter esse mesmo grau de autoconhecimento. E, pasme: ELA É LIBRIANA! Não é esse o signo da indecisão? Pelo menos foi isso que li na internet, fazendo umas combinações loucas para saber se tinha encontrado o amor da minha vida ou se era furada outra vez.

Como você lida com as decisões que precisa tomar? Estou perguntando isso porque nunca fui a pessoa mais decidida que conheço. Para mim, definir alguma coisa sempre foi complicado demais. E olha que nem sou libriano. Isso me persegue desde que me entendo por gente. Eu só me movo quando as certezas chegaram ou quando alguém já decidiu por mim. E esses momentos quase sempre acontecem quando já é tarde demais para voltar atrás.

Já trabalhei em lugares que não me faziam feliz, mas também nunca decidi ir embora, porque, talvez, seja melhor sofrer com o que já é conhecido a ter que bater o martelo de que aquilo não me cabe mais e ir duelar com o desconhecido. Já estive em relacionamentos falidos em que precisei que o outro terminasse porque eu não tinha coragem o suficiente para falar que não dava mais, que era hora de cada um seguir seu rumo e lutar individualmente pela própria felicidade. Imagine! Eu, dia após dia, deixava de ser e fazer o que gostaria, me trancafiava numa gaiola imaginária só porque tinha medo das minhas asas falharem no meio do voo.

Recentemente, percebi que algumas certezas não aparecem antes das partidas. Elas só chegam quando já estamos na estrada. Quando já estamos seguindo os nossos rumos, trilhando os nossos próprios caminhos. As certezas brotam das sementes que plantamos quando optamos por ser donos do próprio nariz. Quando escolhemos decidir os nossos destinos e não só contar com a sorte, com os ventos ou com o que cair do céu.

Depois de me anular por boa parte da vida, estou decidindo que é hora de enfrentar de peito aberto as minhas escolhas. Que preciso, de fato, me impor mais diante das situações, que sou eu quem precisa batalhar pelo que acho que é certo ou, conscientemente, arcar com os prejuízos caso nem tudo saia como nos planos. A gente tem a estranha mania de terceirizar os nossos sorrisos, porque, se qualquer lágrima cair e for culpa de alguma outra pessoa, não carregaremos nas costas o peso daquela infelicidade. Burrice mesmo é pensar assim, quando quem chora somos nós, não os outros.

Durante um bom tempo, fui expectador da minha própria história. Estava, desconfortavelmente, sentado numa poltrona repleta de farpas, enquanto os coadjuvantes assumiam os papéis principais. Só que uma hora as cortinas precisam fechar para anunciar o fim do primeiro ato do espetáculo. Isso acabou de acontecer. Do segundo em diante, quem receberá os aplausos ou até mesmo as vaias, caso elas existam, serei eu. Podem até me jogar tomates, mas tudo bem, porque eu adoro ketchup.

Segunda lista

Uma das coisas mais importantes do mundo é não deixar que a ansiedade paralise a gente. Depois que percebi isso, comecei a colocar os itens desta lista em prática diariamente.

- ☐ FAÇO UMA LISTA COM TODAS AS MINHAS PENDÊNCIAS E AJUSTO MINHA ROTINA PARA CUMPRI-LAS, MARCANDO SEMPRE O QUE JÁ CONSEGUI FAZER.

- ☐ FAÇO UMA LISTA COM TODOS OS MEUS SONHOS E COLOCO, AO LADO DE CADA UM, O QUE – E QUANDO – EU POSSO FAZER, DE FORMA PRÁTICA, PARA REALIZÁ-LOS.

- ☐ FAÇO UMA LISTA DE TODAS AS MINHAS VITÓRIAS, DESDE AS MENORES CONQUISTAS E, EM SEGUIDA, ME PERMITO FICAR FELIZ POR CADA UM DESSES TRIUNFOS.

- ☐ FAÇO UMA LISTA COM TODOS OS FILMES E SÉRIES QUE AINDA NÃO VI E SEPARO UM TEMPO PARA ME DEDICAR À VIAGEM PELOS UNIVERSOS QUE ESSAS OBRAS IRÃO PROPORCIONAR.

- ☐ FAÇO UMA LISTA COM TODOS OS LIVROS QUE EU QUERO LER, MAS SEMPRE DEIXO PARA DEPOIS (AINDA QUE ESSE DEPOIS NUNCA CHEGUE). CARREGO, ENTÃO, SEMPRE UM DELES COMIGO E LEIO EM TODOS OS MOMENTOS VAGOS QUE TIVER: NO ÔNIBUS, NO METRÔ, NA FILA DO SUPERMERCADO OU DO BANCO.

- ☐ FAÇO UMA PLAYLIST CHEIA DE MÚSICAS QUE ME FAZEM FELIZ E COLOCO PARA TOCAR SEMPRE QUE PRECISO DE ÂNIMO PARA QUALQUER ATIVIDADE (MESMO CHATA).

- ☐ FIZ UMA OUTRA PLAYLIST, ESSA COM MÚSICAS DE RELAXAMENTO E, SEMPRE QUE SINTO QUE ESTOU ENTRANDO EM UMA CRISE, FECHO OS OLHOS, COLOCO OS FONES DE OUVIDO E RESPIRO, LEMBRANDO SEMPRE DE PASSAR MAIS TEMPO EXPIRANDO DO QUE, DE FATO, COLOCANDO O AR PARA DENTRO DOS PULMÕES.

2

Meios

Fazemos parte de um propósito muito maior, e toda a nossa caminhada foi pensada para o nosso crescimento espiritual. O que vivemos não é por acaso. Entender isso nos ajuda a atravessar cada fase da vida com a consciência necessária para transformar os dias em fábulas — sempre com uma lição diferente. O nosso livre-arbítrio pode nos oferecer opções que acelerem ou atrasem as nossas tarefas de casa, mas acredito que de provas, avaliações e trabalhos surpresa, ninguém escapa. Se veja com bons olhos, perceba o outro da mesma forma. A vida fica mais leve quando você a deixa ser leve. Quando você deixa de correr, mas também para de se arrastar. Um passo de cada vez, sempre em frente. Enfrente! A caminhada ainda é longa, mesmo para os pés mais cansados.

É IMPORTANTE
SABER QUE
FUGIR DE UM PROBLEMA
NÃO O **FARÁ SUMIR**.

Como sobreviver a um ataque de leão

Na noite passada tive um dos sonhos mais desesperadores que alguém pode ter: estar sob a mira do olhar atento, faminto e extremamente ágil de um leão. A intensidade de um sonho se dá, imagino eu, muito pela quantidade de elementos reais. Enquanto sonhamos, na maioria das vezes, não percebemos que estamos presos a uma ficção. Agimos, sentimos e, principalmente, sofremos como se tudo estivesse acontecendo diante dos nossos olhos, naquela fração de tempo chamada "agora".

Lembro-me de que estava em um hotel desses que possuem passeios de safári. Tenho *flashes* também de estarmos em um carro aberto passeando pela selva. Vi girafas, inclusive filhotes, naquele cenário repleto de relva e animais de todos os portes. Avistei também tigres – que são tão lindos quanto ameaçadores. Sem falar nos hipopótamos que, "Discovery-Channelmente" falando, conseguem atingir um metro e meio de altura e cerca de mil e oitocentos quilos. Digo isso para que você consiga sentir a dimensão da minha imersão dentro de um simples sonho.

Estava tudo calmo e tranquilo, até então. Voltamos para um alojamento e estávamos reunidos em uma sala. Era um ambiente rústico, com móveis de madeira. O cansaço derrubou todos nós, amigos no sonho, porém desconhecidos na vida real, nos sofás deliciosamente aconchegantes em couro marrom, meio envernizado, combinando com todo o resto da decoração. Foi nesse momento que ouvimos aquele rugido. Forte. Seco. Capaz de fazer o chão tremer. Lembro, claramente, de pensar que era o fim da linha para mim.

Um rugido de leão é capaz de ecoar por oito quilômetros, mas ele estava apenas a alguns metros de mim. Senti um suor frio percorrer todo o meu corpo. Nesse momento, ouvi as seguintes instruções: "Mantenham-se de pé, com os braços erguidos e gritando o mais forte e bravos que conseguirem. O leão não ataca presas que ele percebe que são maiores, se mostrem como gigantes, se quiserem sobreviver". Esse foi o sábio conselho do guia, que tinha estado em passagens anteriores do mesmo sonho.

Ficamos então de pé, alguns em cima de cadeiras, dos próprios sofás, outros lutando para não entrar em pânico quando vimos aquela beleza selvagem adentrar o nosso espaço. O animal sentou sobre as patas traseiras, exatamente no limite entre a porta e o corredor, nos encarcerando. O guia repetiu, mas dessa vez com mais ênfase, que deveríamos gritar o mais alto possível naquele momento. O leão estaria, naqueles minutos de contemplação, decidindo se seríamos o seu almoço ou se não valeria a pena lutar contra tantos. Éramos aproximadamente dez.

Não adiantava correr. Essa é a verdade. Se o fizéssemos, precisaríamos de alguns segundos a mais para pular as janelas, já que a sala, apesar de ampla, não oferecia melhor roteiro de fuga. Mas até lá ele já teria nos mordido. Leões atingem a velocidade máxima de oitenta quilômetros por hora. Eu dificilmente conseguiria correr a vinte, seria uma presa bastante fácil. Então, seguimos as sugestões do guia. O leão, por sua vez, ficou de pé e passeou próximo a alguns de nós. Senti sua respiração rente a mim... mas não passou disso. Ele foi embora, como se só quisesse pregar uma peça na gente e testar os nossos limites.

Assim que ele cruzou a porta, o guia a trancou e disse algumas palavras, como se alguém tivesse entrado em meu sonho para me dizer as frases que eu mais precisava ouvir naquele momento da minha vida: "É importante saber que fugir do problema não o fará sumir. É necessário olhar de frente para ele e se mostrar maior. Mais capaz. Às vezes, a vida nos oferece desafios como o ataque de um leão, mas disfarçados de qualquer outra coisa, para que aprendamos como agir. Se dermos as costas, somos atacados. Se nos mostrarmos imóveis, somos devorados. Se silenciarmos aos rugidos, perecemos".

Acordei quase chorando. Era um misto de alívio por ter me livrado daquele ambiente hostil e medo do ataque iminente que, apesar de criação da minha mente, havia sido real e quase palpável. Fiquei atordoado com a constatação de um homem que apareceu durante o meu sono para me dizer como agir diante da minha própria vida. Sinto um arrepio contando isso, pois aquele conselho veio como um sacolejo em um dos momentos mais oportunos do mundo. Espero que ele sirva também a você. Se há algo que te aflige agora, perceba como você está se comportando diante disso. Talvez o meu guia também possa ajudá-lo a se salvar.

ninguém sonha em vão.

SONHADOR

Carta aos meus sonhos

Olá, sonhos, como é que vocês estão? Preciso confessar que, do lado de cá, têm sido dias um tanto quanto instáveis, para não dizer difíceis. É que não gosto de dar ainda mais peso aos problemas. Vai que eles usam isso de alimento e resolvem crescer. Melhor ser ameno. Melhor não dar força ao que quero enfraquecer.

Preciso dizer que tenho feito tudo o que está ao meu alcance para criar vocês, para vê-los vigorar, vencer, dar certo, mas nem tudo tem saído como planejei. Para ser sincero, como já é de costume, nada tem ido muito bem pelos caminhos que tracei. Não que isso seja inteiramente ruim; às vezes é bom, outras, nem tanto.

Todos os dias, brigas terríveis acontecem no ringue que fica dentro da minha cabeça. Sempre que o dia nasce, involuntariamente eu escolho uma expectativa e a coloco de frente a uma realidade, deixando-as brigar até que uma, finalmente, tenha o total foco, a minha total concentração. A infelicidade nisso tudo é quando quem vence são as verdades. Elas se acostumam tanto a bater que acabam esbofeteando a minha cara com fatos e sentimentos indigestos.

Em alguns momentos, preciso respirar fundo, assim, no meio do dia. Pode ser no caminho para casa, voltando de qualquer lugar, numa reunião, no meio de um papo com alguém, sozinho no quarto, tomando banho, almoçando ou indo colocar os pratos na pia. Respiro fundo, como se o ar formasse duas mãos e fosse ali, nos canais lacrimais, e os tapasse. Para que duas cachoeiras não despenquem do alto do meu rosto que sorri porque isso já se tornou automático.

Às vezes, sinto que sou uma daquelas máquinas em que a gente coloca uma moeda e pode usar a garra para escolher um presente. Daí, então, vem a vida e diz: "Vou te dar uma moedinha e te deixar escolher um desses sonhos para realizar. Se você fizer a escolha certa, vai conseguir obter o que deseja. Senão, vou só permitir tocar esse sonho, desejá-lo ainda mais e, quando você achar que o tão querido está prestes a ser teu, vou derrubá-lo para que, ao ver um sonho tão almejado deixando de ser realizado, você aprenda lições sobre necessidade, importância, prioridade, oportunidade e muitas outras que ainda precisa saber".

Mas olha, não quero que vocês, meus sonhos, achem que sou só lamentações. Que só fico esperando as moedinhas da vida para trazê-los ao meu abraço. Não. Tenho batalhado, me virado em um milhão para dar conta de preparar o terreno para os dias da colheita. Meu trabalho não foi só plantar vocês no meu coração. Preciso regar, preciso separar os joios do trigo, preciso saber quais de vocês, de fato, são meus, e quais o mundo me fez acreditar que eram.

Não duvidem, nem por um segundo, que lutarei todos os dias para realizar cada um de vocês. Pode ser que demore até que alguns sejam finalmente concretizados, pode ser que alguns outros se percam no caminho, mas de uma coisa tenho certeza: não sonho à toa. Ninguém sonha à toa. Se tenho a ousadia de querer, terei a força para realizar. Nos vemos em breve, meus queridos!

SOFRO da
SÍNDROME DE
COISA ALGUMA:

SIMPLESMENTE
NADA ACONTECEU,
MAS ENTRISTEÇO
MESMO ASSIM.

Meu caos vem da inexistência

Com o passar das crises de choro, como a última que tive hoje no meio do expediente, a gente começa a se conhecer melhor. Não que eu ache que, para nos entendermos, precisamos vivenciar certas coisas, mas é que tenho tentado achar uma luz no fim do túnel para não me deixar abater. Tenho tentado ver a parte boa, se é que ela existe, até diante da instabilidade.

Tenho aproveitado os dias de confusão para conhecer mais sobre mim. Já consegui desenvolver uma pequena teoria, mas que tem surtido um efeito muito, muito bom para conseguir me livrar de certos labirintos em que a minha mente me encarcera. Sim, é isso mesmo. A minha cabeça, volta e meia, gosta de brincar comigo. Aprisiona-me em pensamentos-masmorra. Aqueles dos quais só com muita agilidade eu conseguiria sair. Agilidade não, melhor dizer *autocontrole.*

O que tenho percebido, no fim das contas, é que boa parte do meu caos vem da inexistência. Sofro da Síndrome de Coisa Alguma. Que é quando nada aconteceu, mas entristeço mesmo assim. Nesses momentos, preciso contar demais com a minha força interior. Preciso me isolar dos barulhos externos, das opiniões alheias, das regras, das normas e repetir para mim mesmo, diversas vezes: "Coisa alguma aconteceu e eu não preciso me desgastar por isso".

A minha nova descoberta foi: pensar adiante. E não, não como a gente costuma fazer quando acha que só dá para ser feliz daqui a muito tempo. A minha tese diz mais ou menos assim: "Como será que eu estarei diante dessa situação daqui a trezentos e sessenta e cinco dias?". Se isso ainda me afligir, a segunda pergunta a ser feita é: "O que eu posso fazer, de forma racional, prática, exata, para me livrar desse problema?". Eu não preciso focar se a minha festa de casamento vai ou não acontecer um dia, se eu ainda sequer estou apaixonado por alguém. Não preciso pensar nas minhas férias, se elas ainda levarão meses para chegar. Eu não preciso me preocupar com a dor do exame de sangue, se eu só o farei na segunda-feira (sim, eu tenho pavor de colher sangue e isso me tira do sério). Para ser sincero, o passado é imutável. O futuro, imprevisível. O único lugar que temos, de fato, disponível, é o presente. Então, todas as minhas projeções são inúteis.

Entender que só existe o aqui e o agora é a chave para a nossa felicidade. Ficamos o tempo todo presos aos nossos erros do passado, tentando voltar para um lugar que não existe mais, a fim de corrigir nossas ações. Ou então viajamos hipoteticamente numa nave para o futuro, tentando prever tudo que nos acontecerá. Tentando antecipar as quedas, já arranjando bengalas para nos reerguermos... E é a mistura de tudo isso que gera essa síndrome que me ataca. Que me deixa refém de um nada, que, quando paro para observar, é tudo. Sinto muito, e por tudo. São tantas coisas que parecem nada ao mesmo tempo.

Tenho aceitado que não preciso perder as horas me martirizando por situações, ocasiões ou desafios que não são materiais, físicos ou palpáveis. Eles só existem nas paredes, às vezes apertadas demais, da minha mente. E aí, depois de conseguir me desvencilhar de toda essa clausura, sinto como se as nuvens cinzentas que faziam chover dentro de mim dessem lugar a um sol, que começa tímido, mas que aos poucos me aquece de tal forma que sou capaz de me sentir um lindo dia de verão.

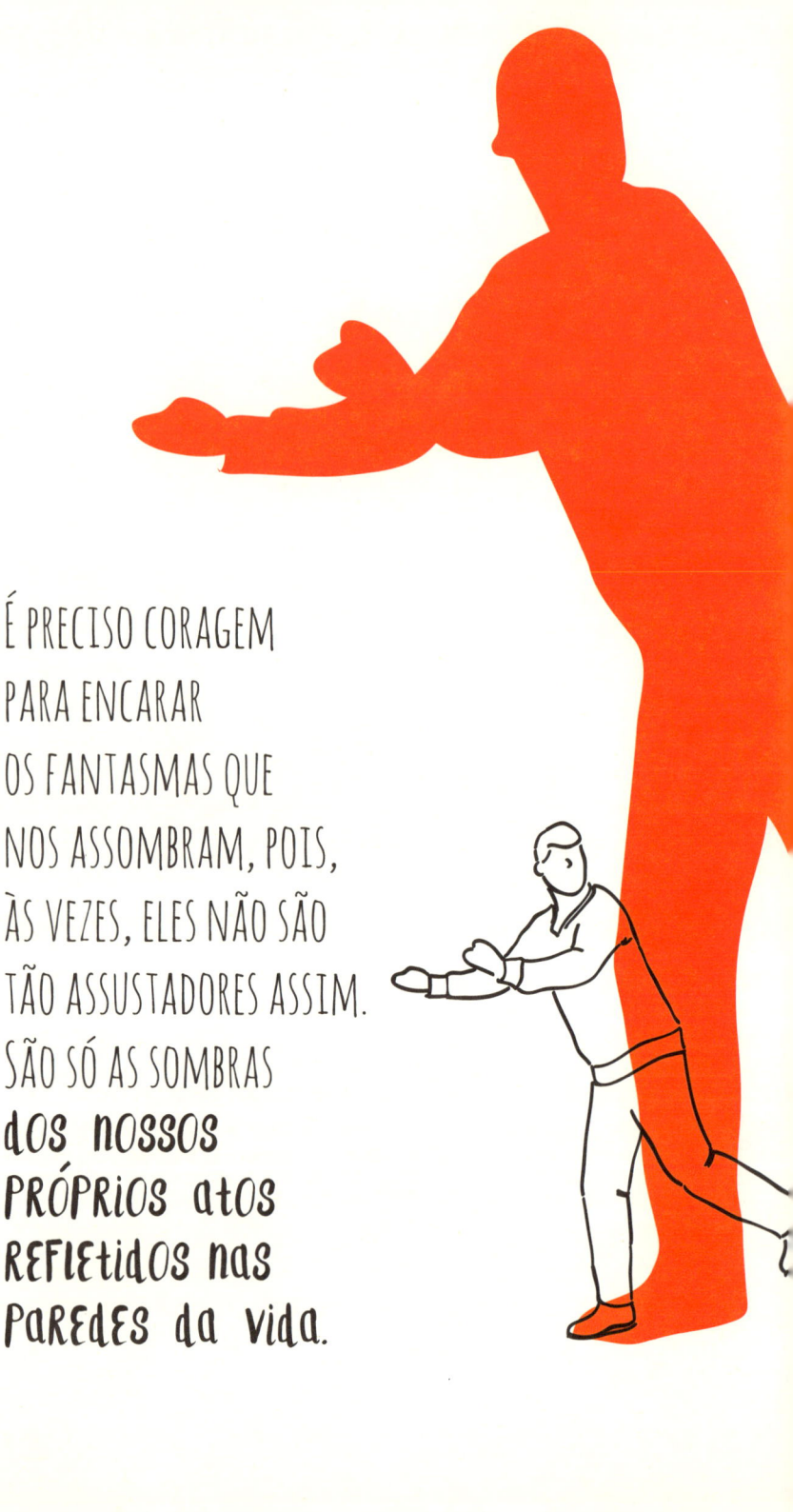

É PRECISO CORAGEM
PARA ENCARAR
OS FANTASMAS QUE
NOS ASSOMBRAM, POIS,
ÀS VEZES, ELES NÃO SÃO
TÃO ASSUSTADORES ASSIM.
SÃO SÓ AS SOMBRAS
**DOS NOSSOS
PRÓPRIOS ATOS
REFLETIDOS NAS
PAREDES DA VIDA.**

A minha ansiedade é ansiosa

Sou inquieto o suficiente e busco entender o motivo das coisas, como elas chegaram até ali. Alguns dirão que isso faz parte das características do meu signo – escorpião –, só que outros, os que não acreditam em horóscopo, vão falar que isso é justificável pela minha escolha de formação – jornalista –, um investigador nato. Sem me ater a nenhum dos dois motivos, comecei a mergulhar em tudo aquilo que dizia respeito à ansiedade.

Em minhas pesquisas, encontrei que isso que desregula todo o meu sistema emocional já foi bastante útil para os meus antepassados. Até os homens das cavernas eram ansiosos, ou melhor, precisavam ser. É que a ansiedade provoca reações de luta ou de fuga, biologicamente falando. Ela nos coloca em alerta e nos obriga a decidir, quase que instantaneamente, se devemos partir para a briga ou fugir dela. Para um homem que vivia entre animais selvagens, que precisava caçar para sobreviver, era extremamente necessário o desenvolvimento desse tipo de habilidade.

Acontece que o cérebro do *Homo sapiens* se desenvolveu ao longo dos anos, tentando se moldar de acordo com necessidades que surgiam, e elas foram aumentando dia após dia. Hoje, estamos ligados nas notificações do celular, nos sinais de trânsito, nos motoristas que estão ao nosso lado, nos pedestres, nos outdoors, nas televisões, nos computadores. Agora, sair à rua não é algo tão simples.

O nosso cérebro, neste segundo, está programado para atender a uma série de estímulos e perceber mudanças das mais variadas nos ambientes em que estamos – a nossa ansiedade natural está ansiosa. O que era para servir só de cautela rompeu o limite da vigilância e acaba soando as nossas sirenes a todo instante.

O problema da ansiedade como a sentimos é que ela, às vezes, nos cega. Passo por isso, pelo menos, uma vez por dia, sendo otimista. Fico procurando sinais, pequenas pistas para saber se as pessoas que me rodeiam estão de saco cheio de mim. Tudo acaba se tornando um motivo para que eu ache que aquele alguém mudou, para que aquele outro alguém esteja me vendo como peso ou tenha me colocado na lista de coisas descartáveis... O triste é perceber que, quase sempre, eu viajei na maionese. Eu estou mirando em fantasmas. Em coisas que a minha mente me levou a crer.

Para me livrar de tudo isso, tenho feito duas escolhas: ou vou até o fim, para ver se toda aquela minha sensação de perigo eminente é real, ou descarto aqueles pensamentos.

Falando primeiro do "ir até o fim", tenho usado o diálogo a meu favor, por mais que nem sempre seja tão fácil falar. Se acho que alguém mudou, pergunto. Em geral, as hipóteses são piores companheiras que a verdade. Se chego para aquela pessoa e abro meu coração, exponho os meus fatos, ela fará o mesmo comigo. Se não houve mudança, isso ficará claro. Se houve, falaremos então sobre o que motivou aquilo e tentaremos resolver a situação.

A segunda possibilidade, a do "descarte dos pensamentos", já requer um nível de autointimidade maior. No entanto, com o passar do tempo, conseguimos nos abraçar em vez de nos condenar, e aí, meu amigo, tudo fica mais fácil.

Essa alternativa funciona assim: observo o meu medo. Se ele é, por exemplo, de perder o meu trabalho, analiso todos os aspectos reais daquilo. Me atento se sou um bom profissional, se cumpro com as minhas obrigações, se estou em dia com aquilo que me propus a fazer naquele lugar. Se as alternativas forem positivas, consigo arranjar novos argumentos que me convençam de que está tudo bem. Se você parar para pensar, podemos fazer isso com tudo. Só não podemos nos render à correnteza de pensamentos ruins. Porque eles nos arrastam por alguns quilômetros e, quando menos esperamos, caímos de cachoeiras gigantescas.

Se ser ansioso é uma marca da nossa espécie, um traço evolutivo, conviveremos com a ansiedade por toda a nossa existência. Então, o que precisamos fazer é arranjar alternativas de autoproteção para o que podemos chamar de "parte ruim" desse sentimento, que causa todos aqueles sintomas que conhecemos de cor.

Não é dinheiro.
Não é um lugar.
Não é uma pessoa.
Não é status.

Ser feliz é se abraçar.
A felicidade é
um autoabraço na alma.

Autoamor

Tirei o domingo para cuidar das minhas coisas. Sabe quando você sente que tudo está fora do lugar? As roupas, os livros, os sapatos, o coração, tudo precisa ser arrumado, reparado, cuidado. No meio de toda essa repentina vontade de colocar cada coisa onde ela deveria estar, achei o meu cacto, que apelidei de Tonico, gritando por um gole d'água. Antes que você me ache estranho por ter dado nome a uma plantinha, quero só te contar que essa é uma mania minha. A máquina de escrever, por exemplo, se chama Sophia.

Os cactos sobrevivem em condições que seriam insuportáveis a outras plantas. Eles precisam de muito pouco para continuar vistosos, mas isso não significa que também não precisam de um olhar especial, de carinho, mesmo que isso venha por meio de um banho de sol. Quando ganhei o Tonico, recebi também uma cartinha com algumas instruções. No papel constava a informação de que ele havia sido molhado no dia vinte e nove de setembro e que eu deveria molhá-lo de novo a cada trinta dias.

Bom, preciso confessar que já haviam se passado quarenta dias desde o último banho dele, e me senti uma das pessoas mais terríveis do mundo quando constatei isso e resolvi dar um dia de príncipe ao Tonico. Coloquei no sol, comprei adubo, um remédio para prevenir fungos e prometi que cuidaria bem dele daquele dia em diante. Jurei isso.

Depois de garantir que ele tinha tudo de que precisava para sobreviver em bom estado, sentei próximo àquele jarro onde ele morava. Pensei comigo mesmo que todos nós somos um pouco como o meu cacto. Não precisamos de muita coisa para viver bem, apesar de inflarmos as nossas necessidades, e também inspiramos cuidado. Precisamos ser regados, algumas vezes podados, adubados, mas quase sempre nos deixamos para depois, para quando der. Para quando não tiver mais jeito.

Percebi que o que nós somos, de fato, fica por dentro da gente. Fica no coração, mora no cérebro, na alma, no espírito, e que o nosso corpo nada mais é do que um meio disso tudo coexistir. É como o jarro do Tonico. Toda a nossa carne é um templo onde os nossos sentimentos residem, onde as nossas emoções moram, onde as sensações vêm passear. Só que ninguém gosta de estar num lugar sujo, num lugar descuidado, numa casa abandonada.

Seguindo por aí, entendi que por isso é preciso que olhemos para o nosso reflexo com mais compaixão. Cortar os cabelos, aparar a barba, fazer as unhas, se vestir bem, nada disso tem muito a ver com ostentar uma imagem, tem mais relação com lustrar a morada da alma. Se cuidar é uma das maiores provas de autoamor. Sendo assim, autoestima para mim é como perceber, depois de terminar a faxina do quarto, que tudo está agradável. Que ter tudo no seu devido lugar faz o coração se sentir confortável, quentinho, que os olhos estão sorrindo com o que podem ver. Que todo aquele esforço em tirar a poeira, trocar os lençóis, as fronhas, abrir a cortina, dobrar as roupas ou pendurá-las foi recompensado.

Também já fui do tipo que passava mais de quarenta dias sem me regar, mas de uns tempos para cá, tenho dedicado dias inteiros ao meu bem-estar. Tenho zelado por cada pedacinho do meu corpo como se todo ele fosse de cristal, que precisasse de uma atenção redobrada, um zelo, uma gentileza, uma delicadeza que só eu posso ter por mim. E olha, posso garantir: se fazer bem é uma das melhores sensações do mundo. Nada paga o sentimento que é se abraçar e se sentir em paz.

com o passar do tempo,
começamos a reconhecer
quem estará aqui
para sempre,
para até logo ou
até a próxima necessidade.

Se dividir para se multiplicar

Durante a minha vida inteira nunca fui alguém que se divide. Sempre recolhi os pedaços de quem se compartilhava comigo, mas nunca, de fato, me entreguei. Sempre me emprestei. Sempre me quis de volta, mesmo oferecendo pouco, ao final de cada contato. E não, não estou falando aqui de entrega para relacionamentos amorosos. Isso não tem necessariamente a ver com paixão. Eu só sempre fui aquele tipo de gente que sente muito, mas guarda para si.

Meus ouvidos já presenciaram os mais diversos casos. De amor aos de dor. De comemorações aos de derrotas incomensuráveis. De todos os meus amigos, já fui um pouco de tudo. De ombro, de colo, de apoio, de guincho, de escavadeira. Já ajudei muita gente a se manter de pé, escorei tantos outros que estavam caindo e servi de impulso para aqueles que, por qualquer motivo, foram ao chão e lá permaneceram por algum tempo.

Mas de mim, do que carrego dentro do peito, pouquíssima gente já conseguiu arrancar o mínimo. Já cheguei a me sentir meio palhaço de circo. Aquele que gasta horas se arrumando, se enfeitando, se preparando para fazer os outros rirem, terem momentos mágicos e de extrema alegria, mas que, depois que o espetáculo acaba e ele tira toda aquela tinta, o nariz vermelho e as roupas coloridas, busca acolhida num filme de comédia romântica qualquer, porque ninguém se importa o suficiente com ele para lhe despertar gargalhadas.

Comecei a perceber aos poucos que, por mais que muita, muita gente não se importasse com o que eu estava sentindo e só quisesse me usar de aterro para lançar seus problemas ou buscar ajuda ou favores, existiam, sim, aqueles que me queriam bem. Que quando perguntavam: "Como você está?", queriam mesmo saber o que me afligia. Eu, durante muito tempo, me travei para o mundo. Sorria, dizia que estava bem e feliz, achando que as minhas mazelas não eram da conta de ninguém e, por fim, acabava culpando a todos pela minha solidão acompanhada – aquela quando as pessoas ao redor são muitas, mas por dentro temos um coração deserto.

Só chegando ao máximo de isolamento, a ponto de rodar a agenda de contatos do celular inteira e não ter uma companhia para ver o novo filme da Disney (depois de ver todos os outros sozinho), só chegando ao limite de até onde eu conseguiria caminhar com a minha própria sombra, foi que me dei conta de que eu precisava refazer a viagem. Precisava de ombro, de colo, de apoio, de guincho, de escavadeira. Da ajuda de muita gente para me manter de pé, para me escorar quando eu estava caindo e me servir de impulso quando, por qualquer motivo, eu fosse ao chão e lá permanecesse por algum tempo.

Hoje, sempre que posso, me dou de bandeja. Sempre que sei que aquele alguém, aquele amigo, aquele amor realmente se importa comigo, me dispo. Me desnudo. Exponho a minha alma, os meus sentimentos, e não tenho receio de ser apontado, de ser considerado alguém fora do normal. E a vida, em contrapartida, nos ensina muito bem a filtrar quem devemos ter por perto.

Com o passar do tempo, começamos a reconhecer quem estará aqui para sempre, para até logo ou até a próxima necessidade. Sei, neste momento, para quem posso ligar e dizer que preciso de carinho. Sei, neste segundo, a quem posso emprestar o meu tempo. Sei também que ainda irei me decepcionar, me arrepender e me surpreender, porque reconheço isso como parte da nossa evolução, do nosso amadurecimento. Mas além de tudo isso que sei, uma das minhas maiores certezas é: eu não estou sozinho. Nenhum de nós está.

Ainda existem pessoas por quem se vale a pena gastar horas se arrumando, se enfeitando, se preparando para momentos mágicos e de extrema alegria. Pessoas que, depois que o espetáculo acaba e que toda aquela maquiagem e roupas de festas são retiradas, ainda estão disponíveis para tudo. Inclusive para a acolhida e um filme de comédia romântica. Estamos sozinhos, precisando de abrigo e, no segundo seguinte, alguém nos estende a mão.

ÀS VEZES,
O CORAÇÃO SUSSURRA:
É HORA DE RECOMEÇAR.
A GENTE NÃO ENTENDE BEM COMO,
NÃO SABE BEM POR ONDE,
MAS TEM CERTEZA DE QUE
PRECISA FAZER AQUILO.

Recomeçar é ~~possível~~ preciso

Hoje, acordei – se é que posso dizer que dormi –, e me vi no espelho, olhei para dentro do meu peito e, diante de tantas versões improvisadas, ensaiadas, planejadas de mim mesmo, diante de tantas expectativas criadas, sonhos que projetaram em mim, não me reconheci. Não me vi nem no emaranhado de pensamentos que vagavam perdidos em minha cabeça, nem no reflexo do espelho. Nada ali era eu, só a vontade de voltar a ser tudo que um dia fui, ou de deixar de ser tudo que, agora, sou.

Às vezes, o coração manda sinais, pistas, emite alertas de que já não aguenta mais, de que ainda há tempo de voltar atrás e recomeçar. Do zero. Desde o ponto em que nós nos afastamos da nossa essência. É que, assim, veja bem, existem caminhos menos dolorosos, mais fáceis para sermos qualquer coisa. Nossa tendência natural é buscar sempre por atalhos, trilhas, pegadas de outras pessoas para que a nossa jornada seja menos trabalhosa.

O problema de se guiar pelo caminho de outro alguém é que os sonhos, as vontades e as aspirações daquela pessoa nunca te levarão aonde você quer chegar. Somos únicos. Temos necessidades únicas. Coisas que mais ninguém no mundo seria capaz de nos oferecer. Coisas que nem mesmo o dinheiro seria capaz de comprar. Erramos, quase sempre, quando tentamos nos resumir para caber em uma história que não é a nossa.

Às vezes, o coração sussurra: é hora de recomeçar. A gente não entende bem como, não sabe bem por onde, mas tem certeza de que precisa fazer aquilo. Atender ao pedido.

Na verdade, não é necessidade, é obrigação de ouvir aquele chamado. Porque esse órgão que pulsa no peito é como uma bússola que, volta e meia, nos aponta o norte certo. Uma direção diferente daquela que o mundo, ou até mesmo as pessoas que nos amam pensaram que era a correta.

Por ora, sei que preciso me ouvir cada vez mais. Quero me desfazer de tudo que sinto que já não me pertence e tem ocupado o espaço reservado para as minhas verdades. Quero deixar de lado toda a comodidade, a facilidade de uma vida que não tem a minha cara, o meu jeito, as minhas formas, que não me cabe por inteiro. Quero sentir o conforto de uma alma plena. De uma alma calma.

Hoje olhei para dentro dos meus olhos no espelho e, diante de tantas versões resumidas, malfeitas, mal concebidas de mim mesmo, diante de tantas promessas, fantasias que criaram em cima de mim, não me reconheci. Mas sei que os ventos sopram na hora certa. Agora sei o que preciso fazer, do que me afastar para me ter de volta. Chegou a hora de recomeçar.

Nem sempre a gente sabe o que precisa **encontrar**,

mas, geralmente, tem certeza absoluta de onde não vai **achar**.

Peça demissão

Eu nunca fui o aluno mais decidido da turma, apesar de sempre estar entre os que tiravam as melhores notas. Ao final do ensino médio, enquanto boa parte dos meus amigos já sabia seus destinos, eu ainda me perdia entre os testes vocacionais. Fiz vários. Diversos. De muitos tipos. Até com a ajuda de uma psicóloga. Mas nada me dava a certeza de que eu precisava para optar por uma estrada e segui-la até o dia em que eu me aposentasse.

Arqueologia, Direito, Medicina, Administração, Biblioteconomia. Nenhum resultado era conclusivo. Nenhum chegava a um veredito. Optei por fazer meu primeiro vestibular para Farmácia – perdi. Meu segundo foi para um curso que se chama Sistema de Informação – perdi também. Matriculei-me em Agroecologia e, dois dias depois, cancelei minha matrícula porque havia passado numa universidade para Engenharia de Alimentos.

Foram seis longos meses estudando cálculos. Das sete matérias que eu tinha, seis envolviam algum tipo de ciência exata. A minha única nota acima da média era em uma que se chamava Inglês Instrumental (que ensinava a gente a ler artigos sem, necessariamente, dominar o idioma). Em um dos testes de Geometria Analítica, o professor sequer colocou minha nota na prova. Quando eu questionei o motivo, ele disse: "Seu zero não cabe nestas páginas".

Mas eu sempre fiz dos desafios minhas motivações e, então, persistia, avaliação após avaliação, até o derradeiro dia. Uma das matérias era Química e lá estava eu, de jaleco branco, luvas, máscara e óculos de proteção, segurando um papel com algumas instruções. A prova prática seria no laboratório. Usaríamos alguns elementos reais da tabela periódica para produzir um composto químico... Sim, essa história não tem um final feliz. Nitrato de potássio + água + sódio metálico = explosão.

Depois do meu cálculo estequiométrico, o nervosismo me fez ler uma palavrinha errada e ouvir em sonoro portunhol a seguinte frase: "QUER MATAR-NOS?". A minha professora não era brasileira, e tudo que ela fez foi gritar desesperadamente quando me viu com aquele composto flamejante nas mãos e com o coração na boca, por ser quem quase ateou fogo no laboratório. Nunca mais apareci na universidade, nem para trancar meu curso. E, ah, antes que eu me esqueça, era para colocar nitrato de sódio. Não se deve misturar nitrato de potássio com água e sódio. Aquele, definitivamente, não era o lugar onde eu deveria estar.

Ingressei, então, em Jornalismo, uma das paixões da minha vida. Descobri que tudo que eu queria fazer dela era escrever, contar histórias, escrever mais um pouco e falar sobre o mundo para todo o mundo. E, antes que você suponha que eu ainda esteja pulando de faculdade em faculdade, estou, neste momento, ao lado do meu diploma. Graduei-me, finalmente.

Como bom indeciso que sou, nem tudo estava resolvido quando decidi fincar minhas raízes em Jornalismo. Eu ainda não sabia em que área gostaria de atuar, uma vez que esse ramo me permitiria ser muitas coisas, estar em diversos lugares, ambientes diferentes. Um leque completo de possibilidades. Resolvi que precisaria estagiar em vários locais até decidir qual me fazia mais feliz.

Atuei em um jornal impresso, integrei a equipe de marketing de um grande shopping center, apresentei um programa de TV, fiz participações em programas de rádio e, até pouco tempo atrás, era assessor de comunicação.

Experimentei de tudo, antes de decidir que nada disso me completava por inteiro, não a ponto de me transbordar. Nenhum desses lugares, por melhores que fossem, eram, de fato, o meu lugar no mundo.

Depois de cinco anos acordando e indo para o mesmo espaço, fazendo quase que as mesmas coisas diariamente, lidando com os mesmos problemas, parando nos mesmos sinais vermelhos e pegando os mesmos atalhos, percebi que tinha me tornado refém da rotina, e isso tinha me adoecido, me entristecido, me deixado ansioso. Como bom nômade que sou, resolvi que era a hora de escutar meu coração, seguir o meu sexto sentido e, depois de muito repensar, adiar, criar coragem, pedir discernimento a Deus... pedi demissão.

Às vezes, a gente não sabe o que precisa encontrar, mas tem certeza absoluta de onde não vai achar. E, quando chegamos a essa conclusão, precisamos saltar, mesmo que sem paraquedas. Precisamos arcar com as consequências das nossas escolhas. Precisamos reconhecer que já fomos longe demais, quando, na verdade, já deveríamos ter dobrado no primeiro retorno, rumo a onde o nosso espírito sentirá paz.

Assim como eu, tenho certeza de que você também sabe onde não vai encontrar o que precisa para ser feliz. Pode não ser no seu emprego atual, no seu curso de nível superior, pode não ser no seu relacionamento, pode não ser na cidade onde vive, no país onde está, mas sabe o que não vai te servir de escada. E, já que podemos encarar isso de frente, como amigos, vou dizer mais uma coisa: peça demissão.

Se demita de tudo aquilo que lhe dá trabalho e não sorrisos. Se demita de todos aqueles que não te abraçam, mas te afastam. Se demita do lugar que não é seu porto seguro, mas, sim, o teu calabouço. Se demita. E, olha, eu não estou dizendo que será fácil, mas todos vivemos a partir das nossas escolhas. Se você não se mover para quebrar as amarras que te acorrentam, não poderá sequer reclamar de que elas não te deixam dar os passos mais largos que tanto deseja.

Nós, seres humanos, nascemos com missões. Acredito verdadeiramente nisso. Mas nem sempre é fácil descobrir quais são elas, apesar de recebermos, a todo o instante, pistas. Só que todas essas dicas, digo do fundo do meu ser, são soterradas pelo medo. São confundidas com outros sentimentos de impotência diante de uma realidade que, nem sempre, nos permite fazer *test drives* antes de escolher o que levar para casa, para a vida.

E a *minha* vida toda foi marcada pela escrita. No fim das contas, eu realmente queria escrever, contar histórias, escrever mais um pouco e falar sobre o mundo para todos. A pressa de ser feliz só me fez, mais uma vez, ler uma palavra errada. Não era Jornalismo, era Literatura. Não era tendo uma rotina maçante, era escrevendo livros. É isso que faz o meu coração alegre. É isso que eu, a partir dali, decidi que faria e, espero não estar enganado, quero continuar fazendo até não ser capaz de fazer mais nada.

A vida,
ESSA QUE ESTÁ,
NESTE SEGUNDO,
Fazendo seu coração bater,
É RARA DEMAIS PARA SER TRISTE.

A obrigação de se fazer feliz é sua

Não faz muito tempo que o meu sonho era ter dezoito anos. Eu achava que uma tatuagem e um alargador transformariam a minha vida. Eu tinha certeza absoluta de que poder entrar em todas as festas, beber ou chegar tarde em casa faria total diferença para mim, para os meus dias. Todas aquelas coisas soavam divertidíssimas e empolgantes aos meus olhos um tanto quanto impressionados com a vida adulta.

Hoje, meu braço é tatuado, minha orelha carrega um alargador, ninguém pergunta mais se eu tenho idade para beber ou se importa se eu virar três noites seguidas sem dormir, mas minha vida não se tornou nada parecida com o parque de diversões que eu imaginava que fosse. Não que eu não goste do traço, da marca permanente no meu corpo, não que o alargador que me ajudou a superar meu trauma por ter uma orelha grande não seja especial, não que eu não suporte o sabor de vodca ou sinta sono às duas da manhã e já implore para ir para casa, mas é que eu pensei que isso tudo seria mais legal.

Com o passar dos anos, com o ganhar da maturidade, uma coisa em que quase nenhum pré-adolescente pensa, mas com a qual todo adulto sofre, é o senso de responsabilidade, além da necessidade de ser bem-sucedido. Hoje, as pessoas meio que enterraram o "fazer por amor" das escolhas profissionais. A onda da vez é "fazer por dinheiro para ter dinheiro para fazer por amor".

Nos meus tempos de colégio, os testes vocacionais diziam que era para eu me imaginar dez anos à frente e pensar se estaria feliz com aquela opção de trabalho. Mas olha, veja bem, é difícil pedir isso a qualquer pessoa que só tem como responsabilidade tirar dez na prova de Química. É difícil exigir isso de quem só morre de preguiça de praticar esportes, ainda mais com as aulas de Educação Física obrigatórias. É difícil exigir que alguém com tantos sonhos escolha um sonho só.

Agora, no presente, sou um jovem de vinte e poucos anos que trabalha quarenta horas semanais. Que tem horários marcados para chegar, sair, almoçar, voltar, chegar, sair e, enfim, ter liberdade. Sim, meu amigo, depois de uma certa idade, aquele paraíso de horas livres para fazer o que você quiser vai, quase sempre, se restringir entre as seis da tarde e as sete e vinte da manhã. Ou pior: entre a meia-noite e o segundo alarme do despertador. Depois disso, é a hora da sua parcela capitalista trabalhar para pagar os boletos dos sonhos que você faz enquanto procrastina.

Quase todos nós perdemos tempo demais. Isso não é uma suposição, não é uma indagação. É uma afirmação. É uma observação. A grande maioria das pessoas que conheço gasta os dias esperando os dias passarem. Esperando as horas avançarem, as semanas acabarem, os meses terminarem, os anos virarem, mas elas não esperam quase nada de si. Elas querem que os relógios deem conta de conquistar a vida por elas.

A vida é só um sopro. A vida é curta demais. A vida passa rápido demais para você deixar de ser ator, atriz, cantor(a), dançarino(a), veterinário(a), dentista, enfermeiro(a), nutricionista, psicólogo(a), esportista, arquiteto(a), tatuador(a), desenhista, cronista, cartunista, artista ou o que mais couber nessa lista, só porque alguém disse a você que é errado ou não dá dinheiro ou não é o melhor para a sua história.

A vida, cara pessoa do outro lado do papel, é curta demais para a gente deixar para comer a sobremesa depois do almoço, para não assistir a desenho animado ou para continuar deitado no sofá em vez de levantar e ir aprender a tocar violão. A vida, essa que está, neste segundo, fazendo seu coração bater, é rara demais para ser triste. Para ser o que der para ser. Para ser qualquer coisa. Para ser esse calvário interminável onde a gente passa mais tempo reclamando do que realmente sendo feliz.

O expediente acabar não vai trazer a felicidade. A semana acabar não vai trazer a felicidade. O mês acabar não vai trazer a felicidade. O ano acabar não vai trazer a felicidade. Mas você pode ir até ela. Então, simplesmente, vá. Nem que seja só com a roupa do corpo. Quando a gente tem um sorriso enorme estampado no rosto, ninguém liga para a estampa da nossa camiseta.

Meu conselho para você é: siga a sua intuição. Dê mais ouvidos a ela e ligue menos para as críticas das pessoas, principalmente as que não acreditarem no seu sonho. Elas se acham especialistas quando se trata da vida alheia, mas não conseguem sequer resolver os próprios problemas. A obrigação de se fazer feliz é sua.

A VIDA É CURTA DEMAIS
PARA FINGIR QUE
A GENTE NÃO QUER

vamos sair?

vamos!

E IR DORMIR
MORRENDO
DE VONTADE.

2x1

– Estou sem dinheiro.
– Estou com dor de cabeça.
– Estou cansado.
– Peguei uma virose.
– Já tenho outro compromisso.
– O celular descarregou e não vi o convite.
– Não quero encontrar aquele alguém lá.
– Não curto tanto aquele lugar.

Meu repertório é extenso, mas já dei mais de dez voltas nele só nos últimos meses. Já não sei mais o que dizer sempre que recebo um convite ou qualquer oferta de distração. Metade de mim gostaria de ir, sorrir, dançar, beber alguma coisa que tirasse dos ombros o peso de existir, mas o coração aperta, a barriga congela, as pernas tremem, as mãos suam e eu digo um sonoro e arrependido "não".

Às vezes, sair de casa é difícil. Sinto-me acorrentado pela ansiedade como um daqueles cachorros que destroem a casa se ficarem soltos. Que lascam as almofadas, os tênis, o sofá. Roem a porta. Mesmo quando tudo que eu queria era só correr livremente e sentir a liberdade que é poder se alegrar mesmo com pouco, transformando qualquer lugar num parque de diversões.

Toda sexta-feira eu gostaria de partir para o primeiro *happy hour*, mas me enclausuro. Todo lançamento de filme eu prometo que vou ao cinema, mas espero aparecer na Netflix. Todo show daquelas bandas que eu gosto prometo que vou cantar até ficar rouco, mas coloco um DVD e assisto para compensar a falta de coragem.

Meus amigos até tentam me arrancar de casa, algumas vezes até conseguem. Eles já aprenderam que, se programarem qualquer coisa antecipadamente, eu travo e recuo. Agora, aparecem de supetão com o ingresso na mão. Não é que isso também não me faça querer fugir pela janela com uma corda feita de lençóis, como nos filmes, mas algumas vezes venço a batalha contra meu lado receoso e me rendo à tentação que é ser feliz.

Sei que preciso melhorar isso. Tenho plena convicção. Não ache que não me coloquei essa missão e que apenas aceito que sou assim e ponto final. Não. Só é... difícil. É terrível, para ser mais exato. Escolher uma roupa, me arrumar, ligar o carro, dirigir até o bar, estar lá por diversas horas e finalmente voltar para casa... Isso perturba qualquer ansioso.

Me respeito a ponto de não ir algumas vezes, mas me autodesafiei. Estipulei uma regra, que acho que você pode usar também, se estiver com disposição suficiente, é claro. Ela é bem simples: a cada dois "nãos" que eu disser, preciso dizer um "SIM". Assim, maiúsculo. Gritando. Sem tempo para pensar. Porque, amigo, todo o problema está no pensar. Se você se permitir surfar as ondas dos pensamentos, já foi. Sendo assim, é simplesmente 2x1. Acho que está funcionando. Pelo menos, da minha parte, sigo tentando.

Observação: a prova disso é que eu disse que ia me atrasar por dez minutos para escrever este texto. Sim – pasme –, estou indo me divertir!

O TEMPO TODO, MODIFICAMOS OS CAMINHOS DAS NOSSAS VIDAS.

MAS TUDO SEMPRE CONVERGE PARA O NOSSO BEM.

Um dia amargo feito fruta verde

Você acredita em livre-arbítrio? Na possibilidade de escolher o caminho que deseja seguir diante das situações? Hoje pela manhã, me aconteceu uma coisa que me fez ter certeza de que sim, isso é possível.

Nunca fui uma pessoa supersticiosa, apesar de desvirar o meu chinelo instantaneamente sempre que ele se volta para baixo, ou saltar – sempre – da cama com o pé direito. Só que, ao me arrumar para o trabalho hoje, resolvi usar uma pulseira que ganhei de presente certa vez, feita de contas pretas e com uma caveira no meio. Sempre gostei de caveiras. Acho que elas representam quem todos nós somos de verdade, apesar das aparências, dos preconceitos, dos julgamentos.

Automaticamente, ao colocar aquele acessório, relembrei uma velha sensação que tinha de que ele me dava azar. Que não trazia bons presságios. Não sei por que, mas minha cabeça encucou com isso faz um bom tempo. Eu havia até parado de usar a pulseira para evitar maus agouros (falou a pessoa que, não faz muitas linhas, se declarou não supersticioso).

O fato é que pensei comigo mesmo que não daria força a nenhuma energia negativa. Que iria me manter firme no propósito de ter um bom dia. Sendo assim, segui para os meus compromissos. Entrei no carro, dirigi até o lugar a que precisava ir e, milagrosamente, achei uma vaga para estacionar numa rua bastante movimentada, daquelas em que a gente nunca encontra lugar para deixar o veículo.

Quando desliguei o carro, senti que, por algum motivo, eu precisava permanecer nele. Sabe aquelas coisas de sexto sentido? Então. Nem me questionei muito e apenas me dediquei a verificar as notificações no celular, dar um tempo ali, esperando o que quer que precisasse acontecer para, finalmente, seguir meu rumo. Não demorou mais que dois ou três minutos e... BATERAM NA TRASEIRA DO MEU CARRO. Assim. De uma forma impensada. Inesperada.

Ao sentir o impacto e ouvir o barulho, enfiei a mão na buzina e permaneci naquela posição por diversos segundos. Em seguida, saltei do carro prevendo que ele estaria amassado, que eu precisaria brigar, deixá-lo numa oficina, ter prejuízo e ainda levar alguns dias para arrumar tudo aquilo. Assim que passei pela porta, o outro condutor fez o mesmo e já saiu dizendo:

— Me desculpe, não tive a intenção! Aconteceu algo sério?

E eu, soltando fogo pelas ventas e com um olhar daqueles que divide a pessoa ao meio, fitei o meu carro para fazer uma checagem rápida.

— Não. Graças a Deus não aconteceu nada — disse, sem nenhuma cordialidade.

Logo após ele se desculpar mais uma vez, voltei para dentro do carro. Precisava me recuperar daquele baque. Se você nunca viu o choque entre dois veículos, não pode sequer imaginar o barulho que faz. Às vezes, por menor que seja a batida, o som é MUITO alto.

Durante o período em que estive me recompondo, fiquei pensando que aquilo, com toda a certeza do mundo, havia sido causado pela bendita pulseira. Que ela, mais uma vez, tinha me feito de para-raios e atraído uma catástrofe para os meus dias. Foi então que saí do carro, tranquei as portas, verifiquei mais uma vez se ele havia sofrido alguma avaria. Identifiquei um belo e novo arranhão e atravessei a rua.

À medida que andava, repetia para mim mesmo: *Eu me recuso a ter um péssimo dia por conta disso. Eu me recuso a ter um péssimo dia por conta dessa pulseira.* E, então, eu a estourei. Voou miçanga para todos os lados e eu, como quem não se importava, segui meu rumo sem sequer olhar para baixo.

Senti como se aquele ato de arrebentar a pulseira tivesse desfeito um nó que poderia amarrar o meu dia. Senti como se, por ter evitado uma discussão maior, regada a persistentes lições de moral no condutor que queria menos do que eu que tudo aquilo acontecesse, eu tivesse conseguido fazer uma curva na estrada dos acontecimentos do meu dia. Eu provavelmente teria seguido por outro caminho se não tivesse me controlado.

Se tivesse optado por reagir de forma ainda mais raivosa, se tivesse permitido que todos os meus sentimentos e todas as minhas sensações se tornassem ásperos por ter arranhado o carro, se tivesse descontado, ainda que minimamente, em outra pessoa o que me aconteceu, eu traria ainda mais desgraça para as horas que permanecesse de pé, realizando tarefas, cumprindo obrigações, vivendo. Mas eu, me valendo do meu livre-arbítrio, dei meia-volta e me recusei a ter um dia amargo feito fruta verde.

Entendi que, durante todo o tempo, fazemos escolhas e modificamos, ora pouco, ora drasticamente, os caminhos das nossas vidas. Um fato desencadeia outro, até que muitos se somem e mudem as rotas, o curso, nos levem para longe de algumas circunstâncias. Sendo honesto, já é tarde e só agora, perto da meia-noite, consegui, finalmente, me dedicar a colocar todas essas conclusões para fora em forma de texto. Relembrando como estive durante o restante do dia até chegar a este momento, percebi que, de fato, tive um bom dia. Consegui canalizar de forma positiva o que me aconteceu, distribuí simpatia, fui gentil e até causei alguns sorrisos. Estou até orgulhoso de mim, não é sempre que consigo me domar. Preciso conseguir fazer isso mais vezes. Sei que a vida usa dias como o de hoje para me dizer isso.

Dói menos criar coragem para tomar uma atitude

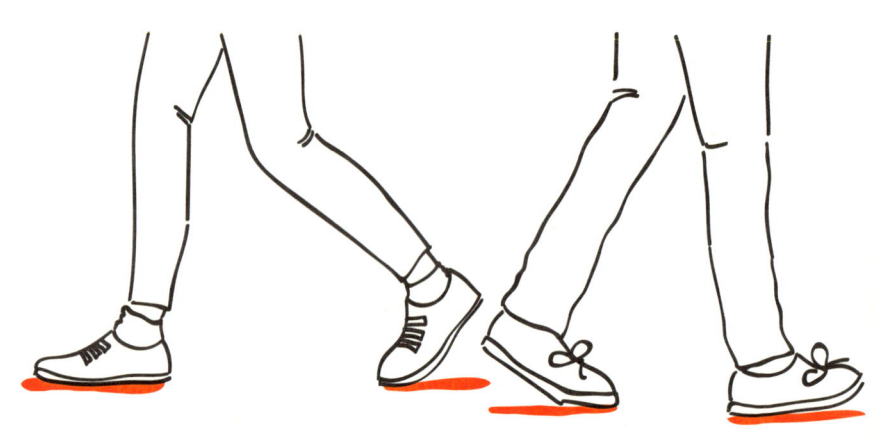

do que se enganar e **viver uma ilusão**.

Uma história que não é minha

Tenho tido conversas homéricas comigo mesmo. Tenho me virado pelo avesso, me desdobrado, me rasgado. Em um desses papos infindáveis, acabei percebendo que alguns dos principais vilões da minha ansiedade são as minhas expectativas. Tenho a estranha mania de imaginar demais, de supor demais, de fazer de conta demais, de esperar demais. E aí, como nem tudo que é real é tão bonito quanto no mundo das ideias, acabo dando topadas emocionais.

Se você nunca ouviu esse termo antes, e é bem provável que não, já que acho que acabei de inventá-lo, topadas emocionais nada mais são do que frustrações repentinas que acabamos sofrendo no decorrer de nossa existência. Vamos só querendo alguma coisa, com muita, muita força e – *POW* – lá se vai um teco do nosso coração. Arrancamos no susto. Sem cerimônia. Sem nos prepararmos para a dor.

Idealizamos demais a vida. Temos a insistente mania de colocar filtros nas fotos, nas relações, nas ideias, nos sonhos, temos a mania da perfeição dentro dos olhos e é assim que nos desapontamos. Recusamos a ver a olho nu as situações, e quando, por qualquer motivo que seja, as fichas, as máscaras ou as cortinas caem e tudo nos é explicitado, nos chocamos.

Falar sobre isso me fez lembrar a história de desencontro de uma grande amiga minha. (Se você estiver lendo isso aqui, *sorry*! Prometo que não vou dizer seu nome para não te deixar com vergonha. Beijo, te amo.) Ela, no auge da sua adolescência e imaturidade emocional (sou realista, desculpa), acabou se apaixonado por um *fake*. Um daqueles perfis em que alguém se apropria das fotos de outra pessoa e começa a ter uma vida virtual.

Sabe uma pessoa dos sonhos? Daquelas que te dizem exatamente o que você precisa ouvir, daquelas que as conversas rendem, que as madrugadas passam em minutos, daquelas que você acorda cheio de vontade de falar? Então, esse *fake* era três vezes mais perfeito. Ele parecia completamente a metade da laranja daquela criatura que estava sedenta por viver um grande amor. Acontece que os contos de fada, infelizmente, não existem para gatos borralheiros como nós.

Passaram-se dias, semanas, meses, e as desculpas foram se somando: "Hoje não posso te ligar, mas te ligo em breve" ou "Ainda não arrumei dinheiro para comprar uma *webcam*, mas vou conseguir, prometo". E ela, envolvida emocionalmente demais para questionar, acabava engolindo. Mas ninguém suporta a ideia de se manter distante da pessoa amada por muito tempo. Ainda mais quando é recíproco. Principalmente quando as distâncias físicas são passíveis de ter um fim. Do encontro finalmente acontecer. E ele foi marcado.

Um ano e trinta e sete dias depois do primeiro contato, eles, graças a Deus, iriam encaixar os lábios e sentir o sabor que o outro tinha. É claro que ficamos com medo, eu e ela (já que eu era seu confidente), por isso marcamos o encontro na praça de alimentação de um shopping. Era movimentado e tecnicamente seguro, esperávamos nós. Ele viria de outro estado, mas não era tão distante assim, coisa de seis horas de ônibus. Nada que não pudesse ter acontecido muito antes, mas ele sempre conseguia ganhá-la no papo.

E lá estávamos nós. Ela com uma blusa vermelha e uma calça branca, como combinado, e eu, três mesas atrás, comendo hambúrguer e fingindo que não estava ali como um segurança fortemente armado com uma metralhadora de batatas fritas e um balde de refrigerantes pronto para arremessar caso uma guerra estourasse e ele, por qualquer motivo que fosse, a atacasse.

A promessa dele era ir de moletom branco e calça bordô, para formarem um par (achei fofo, apesar de brega, confesso). O encontro seria às três e meia. Já havia, até então, se passado vinte minutos da hora marcada e nada de ele aparecer, até que uma menina se sentou à mesa. Nem dei tanta importância, achei que era alguma conhecida da minha amiga, ignorando as cores da sua roupa. Não demorou nem o tempo de ler um capítulo inteiro do livro que levei comigo para o shopping e ouvi um sonoro: "SAI DE PERTO DE MIM!".

Aquele cara que minha amiga amou por tanto tempo, na verdade, era outra pessoa. E, antes que você possa imaginar qualquer coisa de errado, não, seu gênero, nem de longe, foi o problema. Minha amiga a amaria da mesma forma, se ela tivesse sido honesta sobre quem era. O problema foi a frustração. Ela, durante tanto tempo, idealizou um relacionamento, idealizou um certo alguém, idealizou um momento e deu com a cara no chão. Foi inevitável não chorar junto. Ficamos os dois abraçados, enquanto todos nos olhavam sem entender coisa alguma, com o mesmo pensamento rondando a cabeça: "Por que uma mentira dessas?".

A resposta veio na mesma noite, através de um e-mail. O medo da rejeição, da não aceitação, o medo do julgamento foi suficiente para que o perfil *fake* fosse criado e, depois que tudo já havia crescido demais, era tarde para desfazer os nós, principalmente os da garganta, e achar voz para falar a verdade.

Às vezes, preferimos viver uma ilusão, nos enganar, a tomarmos uma atitude. Tudo porque as expectativas são altas demais para encararmos os fatos. Talvez, se logo no começo a minha amiga tivesse se permitido perceber que tinha algo errado em toda aquela história e não tivesse se deixado guiar pela carência, pelo desejo de ter alguém a qualquer custo, ela não tivesse se machucado tanto.

Assim, depois de levar você para passear por uma história que nem era minha (e correr o risco de apanhar por isso), quero só dizer que: não tenha pressa para viver um grande amor. Não queime etapas, não assuma um compromisso sem ao menos se certificar de que realmente conhece o suficiente sobre aquela pessoa. Às vezes, todos nós somos como essa minha amiga e queremos tanto ter alguém a quem dedicar as músicas apaixonadas que ignoramos todas as variáveis indicativas de que aquele relacionamento tem tudo para desandar.

Não conheço nenhum vencedor que não tenha precisado desistir de alguma coisa, em algum momento, para chegar ao pódio.

As desistências também fazem parte das vitórias

Uma angústia em forma de dúvida me tomou os pensamentos hoje. Eu queria entender por que ninguém fala sobre desistir. Sobre abrir mão de algumas coisas para conquistar outras. Queria realmente entender por que todos os filmes, livros, por que todas as novelas e os personagens de que eu gosto só falam sobre ser forte. Sobre seguir em frente. Sobre fazer a coisa certa. Mas nunca, de jeito algum, de forma nenhuma, sobre desistir.

Meu primeiro grande relacionamento foi à distância. Ele foi tão lindo enquanto durou como destrutivo quando acabou. Depois do fim, passei meses lutando contra esse sentimento, até quase soterrá-lo completamente. E aí, como tudo que vai, dizem, volta, recebi uma ligação no meio da noite com a seguinte frase: "Queria te ver, você foi a pessoa mais incrível que já conheci na vida". E eu fui ao encontro daquele amor. Rodei quilômetros até chegar lá. Não precisei mais do que uma noite para entender que, por mais sentimentos que existissem, aquele alguém simplesmente não era para mim. Não tinha o que eu precisava. Que eu não queria mais alguém de tão longe. Não queria marcar uma viagem para dar um beijo. E aí, sim, dessa vez, fui eu que coloquei um ponto final naquela história.

Ou então, quando eu quis fazer Jornalismo. Sempre sonhei em estudar em uma universidade federal, mudar da minha cidade do interior para uma capital, mas, daí, quando finalmente pude fazer isso, abri mão daquela vida cheia de aventuras e nenhuma certeza, optando pelas certezas com "poucas" aventuras. Hoje, sou formado em Jornalismo por uma universidade particular, exerço minha profissão da mesma forma, não moro em uma grande cidade, mas sou feliz com a vida que tenho.

Desistir, nem sempre, no fim das contas, significa abrir mão de realizar aquilo que a gente tanto quer. Sei lá, aparentemente existem muitos caminhos para lugares muito parecidos, senão iguais. Acho que a sociedade, a natureza, acho que nós mesmos estamos seguindo pela contramão nessa de atrelar a ideia de fracasso às desistências. Não há nenhum quê de perdedor em todos aqueles que, seja lá por qual motivo, desistem de alguém. De alguma coisa. E nisso estão inclusos amores, amigos, empregos, provas de vestibular, concursos, aventuras, festas etc. Não conheço nenhum vencedor que não tenha precisado desistir de alguma coisa, em algum momento, para chegar ao pódio. Onde sempre quis estar.

Em meio aos meus pensamentos de hoje, fiquei tentando achar algum sinônimo que pudesse substituir a derrota, que eu teimava em atrelar à palavra "desistir". Renúncia. *Renunciar*. Acho que a palavra é essa. Para dar os maiores passos da minha história, precisei abrir mão de muita coisa. De muitos momentos, pensamentos, experiências. De muitos atores coadjuvantes. Tudo, absolutamente tudo para tentar me manter como o personagem principal da minha trama, do meu enredo, da minha comédia da vida privada.

Sou hoje o resultado da coragem de renunciar a muitas das minhas vontades. Noites de sono. Noites de agitações. Amores que prometiam uma vida diferente de tudo aquilo que sonhei para mim. Paixões que não me permitiam sonhar com nada. Encantos que não passavam disso. Conquistas que me trariam mais perdas do que ganhos. Amigos, que, apesar de me quebrarem alguns galhos, só apareciam para que eu cortasse os seus. Favores. Favores. Pavores. Mais nada.

É importante falar sobre desistência. Sobre deixar de lado. Sobre tirar da cabeça, do coração, do campo de visão. Do mundo dos pensamentos. É preciso também seguir em frente, ser forte como dizem os filmes, livros, todas as novelas e os personagens de que eu gosto. Mas isso vem depois. Ser forte é só uma consequência. Consequência essa que só sente quem desiste. Quem sabe reconhecer diante dos fatos e do espelho o que é mais importante para si, ainda que outras pessoas digam o contrário. Importante, principalmente, para continuar vivendo e abdicando de tudo aquilo que só nos faz felizes pela metade.

um abraço cura tudo, e não precisa nem de prescrição médica.

A cura para todos os males

Nada, absolutamente nada no mundo supera a força de um abraço. Dessa troca mágica de energias quando dois corações se encontram e se encaixam no mesmo compasso. Quando o tempo para, as horas não importam mais, e qualquer lugar se torna insignificante durante os curtos segundos em que a gente está dentro daqueles braços.

É claro que existem diversos tipos de abraços. Abraços rápidos como estrela cadente, abraços longos e demorados como os de depois de uma grande saudade, abraços de felicitações, as mais diversas delas, abraços de "sinto muito", abraços de "ah, eu só quero te abraçar mesmo, sem razão alguma". Mas, de todas as formas e motivos dos abraços, sou viciado nos apaixonados. Desses que acalmam, afagam.

Nunca fui alguém que dividia os problemas, que chegava para um amigo, deitava no colo e simplesmente contava a vida inteira. Sempre tive outros modos de me expressar, mas, só depois que consegui perder a vergonha de abraçar e me entreguei, de fato, à força desse gesto, entendi o que é falar sem precisar dizer uma só palavra. Num abraço cabe dizer tudo. Se todo mundo soubesse a força que um abraço tem, não discutiria, não gastaria energia com argumentos, só abriria os braços. Assim, como se um protegesse o universo do outro, pedisse perdão, perdoasse e ainda, de brinde, aquecesse o coração. Se você já sentiu um abraço (de verdade), vai concordar comigo: abraço é a melhor coisa do mundo.

Por fim, eis algumas dicas de um viciado em abraço: sempre que estiver cansado, abrace alguém. Sempre que não estiver cansado, abrace alguém. Sempre que estiver feliz, abrace alguém. Sempre que, por qualquer motivo, estiver triste, abrace alguém. Sempre que for comemorar uma vitória, abrace alguém. Depois de qualquer derrota (que, com certeza, será momentânea), abrace alguém. Sempre que puder, abrace, bem forte, por muito, muito tempo, alguém. O mundo muda quando você abraça.

Terceira lista

Criei uma lista de coisas que as pessoas que me amavam poderiam fazer para me ajudar a lidar com a ansiedade. Dessa forma, sempre que alguém se mostrava interessado em me ter por perto e não sabia como agir, eu mesmo oferecia uma espécie de mapa.

Quando alguém que você ama muito quiser aprender a lidar com a sua ansiedade, rasgue essa página e entregue-a a ele ou ela. (Pode também tirar xerox ou reescrever em um pedacinho de papel, se não quiser machucar este livro).

- ☐ NÃO DEMORE A RESPONDER AS MENSAGENS, MESMO QUE SEJAM SOBRE UMA BOBAGEM. COMPREENDA QUE CERTAS COISAS ACELERAM UM CORAÇÃO ANSIOSO.
- ☐ PERGUNTE, QUANDO NÃO SOUBER, O QUE VOCÊ PODE FAZER PARA AJUDAR.
- ☐ ABRACE SEMPRE QUE POSSÍVEL.
- ☐ ENTENDA QUE IR A UMA FESTA OU CONHECER PESSOAS NOVAS PODE SER FÁCIL PARA VOCÊ, MAS, ÀS VEZES, É MUITO, MUITO DIFÍCIL PARA ALGUÉM QUE TEM ANSIEDADE.
- ☐ FAÇA PLANOS REAIS. SE VOCÊ NÃO TEM O OBJETIVO DE CUMPRI-LOS OU SE NÃO OS ESTIVER LEVANDO TÃO A SÉRIO, NÃO PLANEJE. UM ANSIOSO *SEMPRE* VAI ESPERAR.
- ☐ AJUDE A LEMBRAR DAS COISAS BOAS QUE A PESSOA ANSIOSA JÁ VIVEU E/OU CONQUISTOU. NÃO É TÃO SIMPLES RECONHECER TAIS FEITOS.
- ☐ SUGIRA PROGRAMAS AO AR LIVRE OU QUE ENVOLVAM ATIVIDADES FÍSICAS PRAZEROSAS.
- ☐ NUNCA, POR FAVOR, *NUNCA* CRIE SUSPENSE, TERROR OU GERE EXPECTATIVAS DESNECESSÁRIAS.
- ☐ EMPRESTE OS SEUS OUVIDOS PARA ESCUTAR DE VERDADE.

3

Fins

Estamos todos perdidos, mas no caminho para o tal "encontro". Não é só você que anda se sentindo assim, acredite. Até o mais feliz dos seres possui momentos de desencontro, de dúvidas, de incertezas. Na verdade, esses momentos são os mais importantes da vida. Neles, tomamos decisões, saímos da zona de conforto, criamos coragem para tomar atitudes ou girarmos em cento e oitenta graus o curso das nossas vidas. Infelizmente, você não pode mudar certos acontecimentos, mas pode lidar com cada um deles de formas diferentes. De formas menos ou mais densas. Escolha sempre o caminho que te fará feliz. Ainda que seja o mais longo, mais difícil ou que a maioria das pessoas não ache certo. No fim das contas, no fim dos dias, você estará sozinho com a sua consciência. É importante que ela não pese. E, se pesar, você já sabe o que precisa corrigir. Se abrace, se ame, se cuide. O universo, neste segundo, está dando a oportunidade de mudar. Mude tudo que não te faz plenamente feliz. Seja no amor, na profissão, nas amizades... em tudo. Se sinta completo. Se sinta preenchido ou comece a se bastar. A carência é a pior das conselheiras. As dependências, todas elas, são péssimas amigas. Não se importe em dar satisfações dos seus atos, não se importe com o julgamento. Se importe com quem você está sendo para você mesmo. Se o seu "eu" se agradar, o mundo espera. No fim das contas, se não for nada disso, você pagará pelas escolhas que está fazendo. Então, mais uma vez, o processo de evolução será individual e intransferível.

A VIDA DE UM ANSIOSO
NÃO É O DRAMA QUE MUITOS PENSAM —
É a inquietude no coração
que poucos sentem.

Se puder, me abrace

"Você precisa ser menos ansioso", disse aquele alguém numa sexta-feira, às seis horas e trinta e três minutos. Depois de uma semana caótica. Sei exatamente o horário, pois me rendi aos ponteiros do relógio para respirar fundo e não dar um destino melhor às palavras que eu preferi engolir depois de ouvir aquilo. As pessoas dizem muitas coisas, mas elas quase nunca se importam com quem vai receber.

Se eu ganhasse dez reais por todas as vezes que ouvi que precisava "ser menos ansioso", estaria escrevendo este livro em um avião rumo a Londres. É que os amigos, as pessoas mais próximas e a sociedade como um todo começaram, de um jeito bizarro, a achar que a ansiedade é como o volume de uma música que toca na playlist do celular e eu posso, simplesmente, abaixar. Deixar inaudível. Tornar-me imune ao som, aos seus efeitos, às sensações.

A vida de um ansioso não é o drama que muitos pensam; é a inquietude no coração que poucos sentem. É, justamente, sentir que a sua cabeça não para um segundo sequer. Enquanto os olhos estão abertos, os pensamentos estão acelerados, os casos estão criados, as cenas são vistas em flashes, diálogos são pensados, modificados, "remodificados", situações são inventadas... E o pior é que tudo é real. Não são como pesadelos, que a gente abre o olho e pensa: *Ufa, era só um sonho ruim.*

Diversas são as dicas que, volta e meia, alguém me dá – "Ah, faz ioga" ou "Você já tentou tomar florais?" –, e, cara, pensando bem, tudo isso talvez até surta efeito. Mas precisamos mesmo é reaprender a lidar com os nossos sentimentos, reconhecer quem somos. Redescobrir isso. É que o fluxo dos dias está rápido demais, e, pense comigo, se nós ansiosos já somos ligeiros em pensamento, imagina o turbilhão de emoções que é viver num mundo que é cem vezes pior?

E, então, você pode me perguntar: "O que posso fazer para te ajudar?". Me abrace. Não me peça para mudar como se fosse fácil, simples, ou como se tudo que eu sinto fosse ridículo demais para ser sentido. Eu já me julguei dessa mesma forma e, garanto, não controlo a minha ansiedade como quem adestra um cãozinho, aceite isso.

Tudo que um ansioso menos precisa é de dedos que apontem os erros. Use a mesma mão para me dar carinho. Me aceite, assim como eu tenho tentado fazer. Sei que não é fácil se ver no epicentro de um terremoto, mas se eu que já sinto os abalos aos trancos e barrancos tenho conseguido, você que só me vê tremer pode também me envolver em seus braços para diminuir a minha pressa e me fazer, ao contrário de todo o restante do tempo, não querer mais que o tempo passe.

DESABAFOS
SÃO PALAVRAS
QUE AFROUXAM
OS NÓS DA GARGANTA
E FOGEM
PARA NÃO MORREREM
sufocadas.

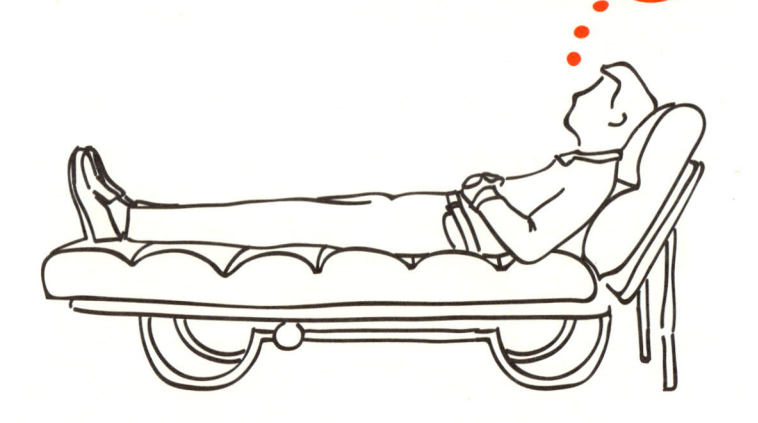

Encontro com um desconhecido

Se sentir incompreendido é terrível. Digo isso pois tenho mestrado na área. Ou melhor, sou PhD em me sentir um extraterrestre quando se trata de sentimentos. Muitas vezes, até evito contar o que sinto, como estou, porque sei que aquele alguém possivelmente irá desdenhar, fazer pouco caso, achar que é exagero, "mimimi".

E o pior é que certos pensamentos só saem da gente vomitados. Não dá para arrancar, não é possível apagar: eles ficam ali, feito comida que faz mal e não encontra outro caminho além da boca para dar o fora. Para ser repelida pelo nosso corpo. Sofro de frequentes infecções alimentares causadas por devorar excessivamente pratos cheios de ansiedade. E não há remédio para azia que diminua as más sensações, não existe chá de boldo que dê jeito. Eu só melhoro colocando para fora.

Foi assim que cheguei até uma sessão de terapia. Não tinha mais a quem recorrer, não sabia o que fazer, mas estava estufado de imagens mentais, sentindo que no instante seguinte iria explodir. Tinha minhas engrenagens travadas e todo o meu corpo gritava desesperadamente para fugir daquela pane geral. Daí, eu só segui. Peguei o telefone, liguei para uma clínica que já havia cruzado o meu caminho num dia qualquer e, por sorte, milagre ou benção divina, havia alguém para me escutar naquele lugar.

Não foi fácil entender que eu precisava da ajuda de um psicólogo. Não foi algo tão tranquilo quanto decidir se como mais uma coxinha ou se estou satisfeito. Não queria ser taxado de louco ou coisa parecida. Não tenho vergonha de dizer que sim, eu tinha preconceito. Ou pior, era medo. Medo do que não podia prever. Medo do que me esperava naquela sala, naquele alguém desconhecido. E juro, depois do susto inicial, posso garantir: ter um estranho sentado à sua frente com o objetivo de te escutar sem emitir julgamento negativo, sem apontar um dedo na sua cara e mandar acordar para vida ou parar de melodrama, bom, é incrível.

Vou contar como foi, caso você também tenha os mesmos receios que um dia tive. Uma sessão de terapia não é um circo de horrores, não se parece com as entrevistas do *De frente com Gabi*. Está mais para uma conversa entre duas pessoas que se identificaram e estão se conhecendo melhor, mas, claro, o assunto principal é você. São as suas demandas, principalmente o que te levou até ali, o que te motivou a ter cruzado a porta e decidido colocar para fora o que te causava esofagite.

Lembro-me claramente de uma das sessões que me transformaram bastante como ser humano. No meio da conversa, a minha terapeuta me ofereceu papel e caneta e me pediu para desenhar um círculo grande e outro pequeno dentro dele. Confesso que aquilo me causou um estranhamento gigantesco, mas atendi ao pedido. Em seguida, ela me disse para colocar o nome de quem eu considerava o centro da minha vida dentro da circunferência menor. Aqueles círculos simbolizavam a minha existência. O menor, especificamente, o meu coração. O pior de tudo foi o seguinte: não foi o meu nome que eu escrevi no epicentro de tudo.

Foi naquele instante que percebi que muito do que eu sentia vinha justamente de eu não me colocar como centro do sistema solar da minha vida. Eu não era o meu sol. Eu, simplesmente, orbitava outros sóis, outros planetas, orbitava, às vezes, vagando pelo universo, mas não me assumia como o centro de tudo. Como reconhecer um "problema" é o primeiro passo para solucioná-lo, aquele diálogo me abraçou de uma forma que nunca saberei explicar com exatidão, mas consigo claramente perceber que ele iluminou uma parte da minha vida que, até então, era eclipse.

E olha, quero dizer ainda que, do mesmo jeito que precisa haver sintonia entre dois amigos, é preciso que ela exista entre paciente e terapeuta. Não dá para se sentir desconfortável, não dá para estar com alguém se você não se sente à vontade. Se isso, por acaso, acontecer contigo, tente outro profissional. É que cada um tem uma forma de abordagem, cada um segue por um caminho diferente na condução das terapias. Existem diversas linhas para psicoterapeutas e, a depender das escolas que eles escolhem, irão atuar de forma diferente. Cabe a você escolher a linha com a qual mais se identifica. É como estudar em Hogwarts e decidir se quer pertencer à Grifinória ou Sonserina – sem chapéu seletor, nesse caso.

É importante dizer também que eu não sou, agora, depois de várias sessões, uma pessoa perfeita e sem questões pendentes. Acho que nenhum de nós nunca será, mas é bom saber que posso levar todas essas questões até alguém que irá me ajudar a perceber a realidade dos fatos e o que estou exagerando, se estou me colocando no lugar que deveria estar diante do todo, se estou me escondendo atrás de alguma dificuldade. E essa ansiedade que me assola tem diminuído desde o dia em que liguei e marquei a minha primeira sessão. Sinto que me tornei uma peneira humana. Vem uma crise, um pensamento mais denso, e daí eu já começo a peneirar. Aos poucos, com trabalhos, reflexões, passeios por dentro de mim, consigo filtrar e deixar passar só o que me faz bem. É claro que, vez ou outra, algum pensamento mais ágil consegue furar esse bloqueio, mas estou feliz. Estou mais seguro. Estou orgulhoso de ter tido coragem suficiente para procurar a ajuda de alguém que estudou para me acolher.

DORMIR BEM
É A MAIOR RECOMPENSA
QUE PODEMOS NOS DAR

DEPOIS DE
MAIS UM DIA
LUTANDO CONTRA
OS NOSSOS PRÓPRIOS
FANTASMAS.

Agora eu até durmo!

Acordei, hoje pela manhã, com a sensação de que não tinha dormido. Ou melhor, sabe quando você deita, fecha os olhos e os abre assim, rapidinho, mas já é outro dia? Conhece aquela sensação de que você não viveu a noite ou que ela durou uma fração de segundo? Então, comigo aconteceu exatamente assim, e não, não é algo ruim. Estou aqui boquiaberto com essa proeza. Eu dormi uma noite inteira sem acordar! É uma vitória daquelas que merecem um troféu.

E confesso que estou orgulhoso. Desde que aprendi a me escutar mais, a drenar o efeito de tudo aquilo que me agitava os nervos, tenho percebido que a ansiedade começou a perder sua força, seu controle sobre mim. Consigo me sentir mais seguro em relação aos meus atos, estou mais autoconfiante, até minha autoestima melhorou. E olha, agora eu até durmo.

Sei que você, que pode dormir oito ou até dez horas seguidas, deve estar rindo de mim ao ler isso – "Que cara mais idiota, comemorando porque dormiu". Mas, olha, eu nem fico zangado com isso. Até eu estou gargalhando hoje. Os que sobrevivem a diversos dias sem dormir nem ao menos duas horas seguidas sabem do que estou falando. Quando o despertador toca, parece que todos os músculos passaram a noite treinando crossfit. Nos sentimos incapazes até mesmo de subir um lance de escadas. E aí, como não existe um atestado médico para noite maldormida, somos obrigados a conviver com o sono, o cansaço, a indisposição durante todo o dia seguinte.

Nada paga a sensação de dormir uma noite inteira e se sentir disposto no outro dia, para correr até, quem sabe, uma maratona. E, melhor do que isso, não depender de remédio algum para conseguir descansar. Porque sono artificial nenhum chega aos pés de uma noite de sono conquistada.

A ansiedade é a pior ladra que eu conheço. Além de roubar nossa estabilidade emocional, essa pobre coitada ainda é capaz de sequestrar nosso sono. Se nem mesmo Morfeu, com toda a sua divindade, seria capaz de vencer um duelo contra ela, imagine eu, um mero mortal...

Mas digo a você, amigo: tudo que a gente precisa fazer é se sentir capaz. Passei a me sentir dono do meu próprio nariz. Responsável pelas minhas escolhas. Depois que criei coragem para fazer isso, a ansiedade começou a ceder. É como se a minha convicção, a minha valentia de peitar o desconhecido da vida fosse o meu escudo do Capitão América, que freasse ou minimizasse o efeito das minhas crises, sempre tão cheias de superpoderes do mal.

Namore alguém que,
quando tudo parecer perdido,
te empreste um sorriso
e salve o dia.

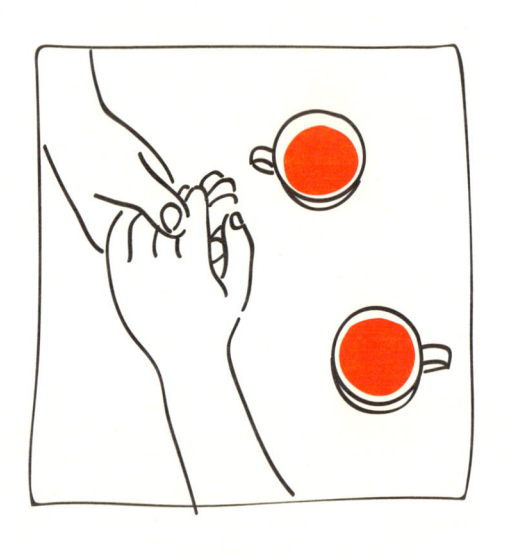

Não é ciúme, é ansiedade

Depois de ter tantos espaços invadidos, tantos laços corroídos pela traça da ansiedade, julguei que ela não seria ousada o suficiente para chegar perto do meu relacionamento, do meu amor. Achei que esse sentimento serviria como uma espécie de pesticida que daria conta de controlar essa praga que me assolou numa rapidez gigantesca, tal qual o fogo se espalha pela vegetação seca.

Comecei supondo que tudo aquilo era só ciúme. É natural sentir medo ou receio de perder aquele alguém que a gente tanto sonhou encontrar, que se encaixa muito melhor do que se houvesse sido talhado sob medida para as nossas necessidades. Aquela pessoa que nos oferece sem que peçamos nada e que nos afoga no mar do carinho, mas, ao mesmo tempo, nos lança boias para que consigamos respirar por entre beijos, abraços, por entre as carícias e as celebrações de estarmos juntos.

Só que, com o tempo, tudo que era até saudável para me fazer continuar desejando aquele alguém passou a me desgastar. Passou a se tornar maior do que eu podia segurar. Mais pesado do que eu podia suportar. Tudo e nada era motivo para que eu ficasse com as duas orelhas de pé, feito cachorro que está farejando perigo. Se eu imaginava algo, já temia a concretização, como se eu tivesse previsto. Como se eu fosse capaz de adivinhar o futuro, mas esse futuro não era feliz como eu gostaria que fosse. Era turvo e repleto de solidão.

A ansiedade me mostrou que eu não era imune a ela em lugar algum. Se eu era convidado para uma festa, ela se arrumava e saía antes de mim. Se eu me apaixonava, ela marcava o primeiro encontro. Se eu fosse pedido em casamento, ela escolhia o lugar da lua de mel. Só que não há como apenas aceitar que essa penetra cresça e tenha ainda mais autoridade diante de um corpo que não lhe pertence. Num coração que não abriu suas portas a ela, nem arrumou sua bagunça para recebê-la sem se machucar demais.

Quando a ficha caiu e percebi que tudo que eu sentia havia deixado de ser ciúme e já era sintoma de alguém cuja ânsia gritava, resolvi que era melhor me abrir. Deixar de ser ostra. Deixar de tentar controlar tudo sozinho e parar de agir como investigador de polícia, buscando provas, rastros e pistas de que eu estava condenado a viver os meus dias sozinho ou que o meu relacionamento estava por um fio.

Não foi fácil ter coragem de me abrir e contar para aquele alguém, que eu amava tanto, que eu estava passando por maus bocados e que precisava de socorro. Precisava de ajuda para tentar, ao menos, parar de buscar vestígios de crimes que nenhum de nós cometeu. Mas quem nos ama de verdade é capaz de nos ajudar a segurar as barras mais pesadas e consegue, com uma piada, um gesto bobo ou um detalhe que passa despercebido, às vezes, nos fazer gargalhar enquanto sustentamos tudo aquilo. A vida se torna mais leve quando temos ao nosso lado um amor que se importa, que nos escuta, que nos empresta sua voz em canções que falam sobre paixão, sobre cuidado, sobre carinho, sobre perdão e sobre recomeçar sempre que, por qualquer motivo que for, achemos que é hora de deixar os erros do passado ficarem para trás.

Conseguimos, juntos, controlar o fogo. De vez em quando, ainda aparece alguma fumaça, mas o nosso alarme já está programado para não deixar que mais nada consiga destruir tudo aquilo que sonhamos tanto em poder construir. Apesar de a ansiedade ter sido ousada o suficiente para peitar o meu namoro e tentar queimar as memórias boas que aquele encontro havia me proporcionado, fomos mais fortes que ela. Juntos, eu e o meu alguém mais especial do mundo vestimos roupas de bombeiros imaginários e ateamos extintores diante dos flagelos em brasa.

A TRISTEZA
VEM DO ESFORÇO ENORME
DE PARECER SEMPRE FELIZ.

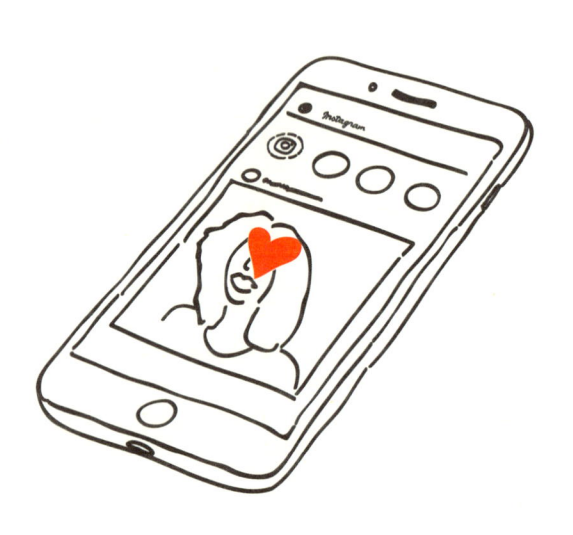

Não more na internet

Vi hoje em um desses sites de notícia que uma pesquisa feita pela Royal Society of Public Health (RSPH) e pela Universidade de Cambridge identificou que noventa e um por cento dos jovens com idade entre dezesseis e vinte e quatro anos usam a internet para navegar em redes sociais. Até aí, tudo bem. Mas o que me chamou a atenção foi que as taxas de ansiedade e depressão desse grupo tiveram setenta por cento de aumento. E sou um exemplo vivo disso. Se estiver num dia de *bad*, de humor em baixa e entrar na internet para vasculhar os *feeds*, pode ter certeza: não ficarei melhor. Muito pelo contrário.

A internet é o melhor lugar do mundo para se passear, mas ela, definitivamente, é como aqueles destinos turísticos dos quais voltamos de viagem dizendo: é bom estar lá por um tempo, mas esse é um lugar em que eu não conseguiria morar. Ela faz bem e mal na mesma proporção. Um ambiente mágico, repleto de coisas que despertam alegrias, mas que consegue despertar também gatilhos, provocar feridas e causar inquietação dentro da gente.

Quero confessar que sou do tipo de gente que se dispõe a ficar por longas horas sem colocar os pés para fora do lar. Talvez por culpa da ansiedade, da preguiça, ou, se bobear, sem grandes culpados. A verdade é que sou do tipo que coloca um pijama e se agarra ao celular. Às redes sociais. É lá que vejo onde meus artistas favoritos jantaram, passearam, fizeram compras. É lá onde descubro para onde os meus amigos foram e não me convidaram. É lá, também, que posso me contaminar com a sensação de insatisfação, de que não sou tão feliz quanto gostaria de ser. Tudo porque na internet as pessoas vivem vidas perfeitas. É tudo pensado: ângulos, frases, *hashtags*. Quase ninguém tem coragem o suficiente de expor o que não é de causar inveja.

Quem nunca postou uma selfie num show, numa festa, para parecer que estava se divertindo a valer, mas estava extremamente entediado? Quem nunca publicou a foto de um prato de comida que era só fotogênico, mas o sabor era terrível? Esses dias mesmo acabei fazendo isso. Postei a foto de um drink que se chama Margarita. Lindo, por sinal, mas intragável. A mistura de sal, tequila, limão e licor me fez ranger os dentes. Mas todos que curtiram a foto podem ter certeza de que, para mim, aquela era a bebida dos deuses.

Vivemos em um mundo onde tudo é fútil, vazio e passageiro. Atemo-nos à moda, a falsificar realidades para sermos "gostados". Só que tudo isso tem um preço que vai além dos reais, dólares, vai além de euros gastos em viagens para Paris ou Londres. E, quase sempre, quem paga essa conta é o nosso corpo, a nossa mente. Entristecemos por fazer um esforço muito grande para parecermos felizes.

Se me permite um conselho, ele é: passe cada vez menos tempo no mundo virtual. Compartilhe momentos reais, com pessoas reais, em ambientes reais, para que você consiga ter sensações tão reais quanto. Eu sei que é bom postar instantes, frames, fotos, mas não se esqueça de se curtir antes de comentar as publicações de outro alguém.

Eu mesmo tenho me ofertado esse conselho todos os dias, na esperança de conseguir me livrar desse vício tão prejudicial por aplicativos. Quero, de verdade, ter por perto pessoas que me façam esquecer de pegar o celular. Que não me deem sequer tempo de lembrar que selfies existem. Que não me deixem com vontade de só eternizar aquele momento no Instagram, Facebook ou sei lá mais qual rede, mas, sim, no peito. Quero tatuar na minha memória as sensações dos contatos físicos, não dos números. Desses, com fé em Deus, só me lembrarei para fazer uma simples pergunta: "Vamos sair?". E o celular será o meio mais rápido para ouvir a melhor frase do mundo: "Estou passando aí para te buscar".

Agora, só quero o que for de melhor.
Custe O tEMPO que custar.

Custe o tempo que custar

Quando dizemos que "o tempo cura tudo", imaginamos que esse zelador da vida ainda irá levar muitos dias, semanas, quiçá anos para refazer as instalações das relações, drenar os vazamentos de lágrimas, refazer o encanamento das emoções, até que tudo em nós esteja "funcionando bem" outra vez. Mas o melhor em entregar as chaves do corpo na mão do síndico-relógio é que, quando menos esperamos, o telefone da alma toca e uma voz suave diz: "Sua reforma acabou, é só abrir a porta e curtir os bons momentos no seu novo espaço-coração".

Por reflexo, ainda consigo sentir os meus músculos rígidos, ainda tenho a sensação da tendinite adquirida depois de tanto estresse, a ponto de torcer meu corpo feito roupa na máquina de lavar. Mas, agora, neste exato momento, não sinto absolutamente nada de ruim. Estou tão leve quanto seda ao vento ou balão de gás hélio, que, se você soltar, consegue subir, subir, flutuar, ganhar os céus e partir da linha do horizonte visível aos olhos.

Não é que eu não tenha mais problemas ou que a ansiedade ainda não esteja escondida debaixo da cama em que me deito, disfarçada nas estampas das minhas camisetas, caminhando na sola do meu sapato feito sombra, mas é que me sinto tão incrivelmente mais capaz de me virar sozinho sem os conselhos que ela me oferecia que consigo me sentir extremamente feliz, mesmo sem ter motivo algum. O meu todo se encaixa, como as peças do quebra--cabeça que formam esse meu sorriso.

Tenho olhado para as situações com mais cuidado e atenção, chegando a uma visão muito mais nítida do que cada uma delas representa de fato. Ainda não tenho a completa noção de dimensão, mas estou tomando boas decisões. Tenho escolhido, racionalmente, não me guiar pelo medo. Deixando que ele até opine, mas não tenha total controle sobre a minha vida. Porque senão eu faria tudo, menos viver. Quem existiria por mim seria esse sentimento congelante.

E, sim, já culpei demais o tempo por não ser tão veloz quanto as voltas dos ponteiros do relógio. Eu queria que a minha vida acontecesse com o mesmo fluxo dos segundos. Ligeiros, ágeis. Mas já entendi que nem sempre será assim, e, por mim, tudo bem. Eu só não vou mais abrir mão das minhas vontades. Já fui do tipo de gente que se alegrava com pouco, se isso viesse rápido. Agora, quero o que for de melhor. Custe o tempo que custar. A pressa não é como o fermento que faz o bolo da felicidade crescer mais bonito. É o ingrediente que faz todo o bolo solar.

A GENTE FLORESCE,
PASSA CALOR,
SE DESPEDE DAS FOLHAS VELHAS,
PASSA UM POUCO DE FRIO POR ISSO,
MAS NÃO TARDA PARA O COLORIDO VOLTAR
E REAQUECER OS NOSSOS CORAÇÕES.

Quero ser alguém melhor

Ainda hoje, as memórias do Facebook me relembraram um "eu" que já deixei de ser faz algum tempo. Eu tinha um sorriso tão largo na foto do Rock in Rio, acompanhado de pessoas que jurava que estariam sempre ali, mas, no presente, já viraram passado.

Engraçado como a gente muda, não é? Não é só o cabelo ou o formato do rosto, a espessura da pele e uma ou outra ruga de expressão; é algo por dentro, que cresce, que vigora. São sensações que passam, principalmente por pessoas que passamos a desconhecer. Outras emoções chegam e nos reviram, revigoram, transformam. É como se fôssemos uma árvore, de fato. Com o passar dos anos, nossas raízes vão se fortalecendo, ficando mais grossas, conseguem conduzir melhor os sentimentos, e vamos nos tornando capazes de transformar alguns em energia e condensar outros nas folhas que caem nos outonos dos anos. Para mim, nada resume melhor a vida do que as estações do ano. A gente floresce, passa calor, se despede das folhas velhas, passa um pouco de frio por isso, mas não tarda para o colorido voltar e reaquecer os corações.

O bom dessas lembranças que surgem aleatoriamente é que elas quase sempre trazem outras pessoas. Outros momentos. Gente que já amamos tanto, a quem já juramos amor eterno. Pessoas sem as quais não nos imaginávamos vivendo, mas que, com o fim de certos relacionamentos, de algumas histórias, assumiram seu lugar na moldura do passado e passaram. Como se novos quadros fossem pintados e expostos aos que chegam para o *vernissage* do presente.

Não entendo mesmo gente que não gosta de mudar. Tem gente que vive sempre a mesma vida, da mesma forma meio morna, meio apática, e não decide pôr um ponto final em certos ciclos. Pôr um ponto de continuação, seguido de um novo enredo. Pôr vírgulas, pelo menos. Gente que parece que se acomoda com o que não traz felicidade. Gente que acha que a vida é isso aí mesmo, que não faz sentido mudar ou que a mudança não fará diferença alguma. Amigo, faz. A gente nasceu para se reinventar.

De quem eu fui um dia, a única coisa que não mudou tanto foi a minha tatuagem. Mas até ela precisa, volta e meia, de uma nova cor. É que o tempo não apaga só as pessoas, ele também apaga certas marcas. O que quero mesmo dizer é: que bom que eu, em tão pouco tempo, me permiti mudar tanto. Trocar certezas de lugar. Trocar de estilo de vida, de alimentação, de gosto musical, deixar de lado certos estereótipos, me abrir para novas opiniões. Que bom que escolhi viver. Que escolhi me sentir vivo.

Quero mais. Quero muito mais. Quero ser alguém melhor, ter mais experiências, aprender novas coisas, cortar o cabelo de jeitos esquisitos mais algumas vezes e usar umas roupas que, com certeza, farão meus futuros filhos darem risada. Sem falar dos amores. Quero conhecer ainda muita gente, me apaixonar perdidamente, mesmo que isso signifique gastar mais muitas horas me procurando depois de cada fim. A vida é feita disso. Viver não combina com o medo. Principalmente o de mudar.

Taí. Daqui a um ano, espero que o Facebook me relembre de quem sou hoje só para eu ter certeza de que escolhi, mais uma vez, o caminho certo. O caminho da mudança. Da metamorfose. Da liberdade. De ser alguém que tem as mãos abertas para deixar tudo que quiser ir embora ou ficar. Deus me livre de escolher, por qualquer motivo que seja, ser só isso que sou hoje.

Quando você pensar em reclamar da vida, agradeça.

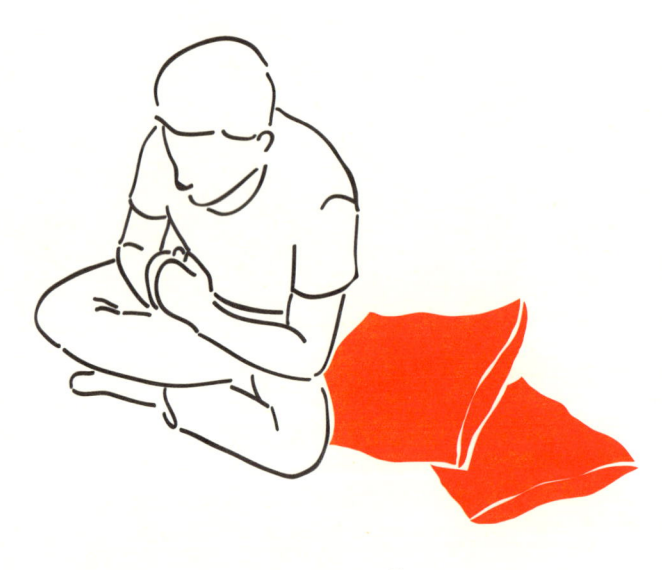

Siga na contramão.

Só por hoje não vou reclamar

É no trânsito que a minha ansiedade triplica. Fico angustiado para chegar em casa, para me livrar de tudo aquilo, e acabo reclamando demais. Gasto menos gasolina do que saliva de tanto resmungar. Me torno amargo. Me irrito facilmente e reclamo. Desconto tudo na buzina. Ela é a minha garganta naquele momento. É através dela que grito. Que berro. Que imploro para seguir o meu caminho.

Desde criança, sempre sonhei em aprender a dirigir. Eu adorava viajar de carro e passar longos períodos pensando na vida, olhando pela janela, me imaginando em clipes, sempre que nos fones de ouvido estavam tocando as minhas músicas favoritas. Daí eu cresci, consegui a minha licença para conduzir veículos, conquistei o meu carro e me tornei ansioso. As cenas dos próximos capítulos, nem mesmo de longe, se parecem com as minhas aspirações de mais novo.

Acontece que o trânsito é aterrorizante. As pessoas quase sempre estão atrasadas, com pressa, abarrotadas de compromissos, de estresse, de cansaço, de uma mistura de infinitos elementos que geram o caos. Muitos motoristas não respeitam as sinalizações, suas faixas, não respeitam semáforos, pedestres, ciclistas, não respeitam outros motoristas. A sinfonia de buzinas é ensurdecedora.

E daí, como se locomover é preciso, passeio, todo santo dia, por ruas que mais parecem cenários de guerras, avenidas que são arenas de luta livre. Cordialidade? Essa palavra é escassa, mas, volta e meia, surge alguma boa alma que me permite fazer uma manobra mais difícil e que só seria possível com a compreensão de quem vem logo atrás ou até mesmo ao lado.

Uma vez, voltando de um passeio com minha mãe, ela, silenciosamente, contou quantas vezes eu reclamei de alguma coisa em nosso trajeto. Levamos vinte minutos dentro do carro e eu bradei umas catorze ou quinze coisas diferentes. Depois desse levantamento, me toquei de que boa parte de tudo aquilo que foi dito era tão, mas tão desnecessário... Reclamar, muitas vezes, se torna um vício. Um desgastante vício que parece aliviar nossa tensão, mas tem o efeito totalmente inverso.

Reclamando dentro daquele carro, parecia que os meus olhos só enxergavam o que tinha de errado pelo caminho. Não consegui estar contente pela companhia da pessoa que mais amo no mundo, não me deixei ser feliz por ter realizado um sonho de infância que era dirigir, não agradeci aos céus por ter o meu próprio carro, não curti, como fazia há muito tempo, as músicas do rádio. Eu só reclamei.

Levando isso para todos os outros âmbitos da minha vida, o ato de lastimar por tudo é recorrente. Reclamo quando está frio demais, quando está muito calor, quando passo da hora de comer, quando como demais, quando não tenho dinheiro para saciar vontades, quando gasto dinheiro demais com bobagem, quando não saio para me divertir, quando saio para me divertir e quero um lugar para sentar... Resumindo: eu reclamo de tudo. O tempo todo. Eu nunca consegui passar sequer um dia, nos últimos tempos, sem arranjar um fútil motivo para reclamar.

De hoje em diante, vou me vigiar. Vou ficar alerta sempre que a minha mente, de forma automática, achar um novo argumento para maldizer uma situação. Estou com a missão de ter uma vida mais saudável, e isso inclui a minha cabeça. Às vezes, a gente acha que dieta ou reeducação alimentar só servem para perder alguns quilos. Mas também precisamos aprender a regrar ou substituir os nossos pensamentos. As nossas ações. Se os nutricionistas indicam comer de três em três horas, vou seguir a mesma linha de raciocínio e arranjar alguma coisa pela qual agradecer, em vez de reclamar, nesse mesmo intervalo de tempo. Espero ficar com um coração sarado.

– O que você quer ser quando crescer?
– Quero ser **FELIZ**!

Estou atrasado

Um dia desses, estávamos todos almoçando quando um amigo meu, que tem vinte e sete anos e o trabalho dos sonhos, fez a seguinte pergunta para a irmã (de oito anos) de outro amigo:

— O que você quer ser quando crescer?

A resposta dela pegou os que estavam à mesa de surpresa, e todos caíram numa gargalhada contínua:

— Quero ser feliz.

No fim das contas, essa deveria mesmo ser a resposta de todos nós, independentemente da idade, não é? Mas ninguém esperava por ela.

Estamos tão concentrados em *ter*, que o *ser* hoje em dia meio que se perdeu no fluxo das multidões. E o pior de tudo é que todo mundo se faz de joão-bobo e só segue. Se arrastando, na maioria das vezes. Fingindo que está contente, mas está contido. Você também já sentiu como se estivesse atrasado na escala evolutiva da vida? Como se, na sua idade, você já devesse ter conquistado uma série de coisas, mas, por diversas circunstâncias, não sabe sequer para onde gostaria de ir ou o que fazer a partir dali? É exatamente assim que tenho me sentido. Como se eu precisasse prestar contas dos meus feitos existenciais à sociedade, ao mundo, aos padrões e a tudo aquilo que ditam como regra, norma, sucesso.

Aos dezoito, você já precisa estar na faculdade. Aos vinte e cinco, você precisa estar formado e inserido no mercado de trabalho. Aos trinta, você precisa estar estabilizado, principalmente no campo financeiro. Antes dos quarenta, você, obrigatoriamente, já deve ter constituído família. Dos cinquenta ou sessenta em diante, você poderá curtir a vida ou desacelerar, porque já precisou lutar demais.

Não é à toa que, volta e meia, alguém diz que seremos substituídos pelos robôs. Ao meu ver, isso parece com um chicote que nos açoita para nos fazer produzir mais, mais e mais e mais e mais. Você precisa mostrar seu valor, senão virá uma máquina que desempenhará sua função em um terço do tempo que você leva para conseguir um resultado inferior. E a humanidade vai indo pelo ralo.

Sério? Sério que a minha vida inteira precisa vir recheada de cobranças e pesos que só tendem a me mostrar insucesso, procrastinação, inabilidade ou incapacidade para ser feliz? Será que os meus talentos não são o que deveria me guiar na contramão do que todo mundo vê como destino?

Eu sinceramente não me importo quando e se vou conquistar a casa própria, ter sempre o carro do ano ou uma linda e emocionante festa de casamento. Quando saí da faculdade nem quis, por exemplo, participar da festa de formatura. Peguei todo aquele dinheiro que gastaria em uma noite e viajei. Não me arrependo nem por um segundo.

Não tenho, de fato, conseguido acompanhar a correria dos dias e estou ficando para trás. Mas dá para olhar por outro ângulo: ao passo que diminuo o meu ritmo e cuido mais de mim, dos meus sentimentos e emoções, tenho saído na frente.

A **Felicidade** GOSTA DE SE ESCONDER NAS MENORES COISAS.

Reconciliação

Ainda agora, eu estava deitado no sofá e recebi a chamada de uma amiga de infância. Num primeiro momento, me senti um pouco nervoso diante daquela surpresa, mas me rendi à conversa. Ela sempre foi alguém muito, muito presente em toda a minha vida. Ao seu lado eu vivi as melhores coisas que posso listar, mas estávamos um pouco distantes nos últimos tempos, sem motivo algum. Aparentemente, aquela era uma ligação de reconciliação. Faríamos, finalmente, as pazes.

Começamos o papo colocando a vida em dia. Explicando tudo que eu estava fazendo, passando, sentindo, principalmente a falta dela. Eu disse que sem a sua presença os meus dias andavam tristes, solitários, faltava algo que me livrasse do peso de existir, faltavam as gargalhadas e as crises de risos que tínhamos juntos, faltava ela. Com o prolongar do diálogo, chegamos a uma sessão de nostalgia. Passamos a relembrar todas as histórias que compartilhamos, desde a minha primeira memória ao seu lado. E esse flash foi justamente de quando ganhei a minha primeira bicicleta. Eu estava dormindo quando ela e minha mãe entraram no meu quarto carregando um embrulho bem grande. Colocaram o presente ao lado da cama e minha mãe disse:

— Filho, está na hora de acordar!

Abri os olhos e, com a visão ainda embaçada, vi o que me aguardava. Fechei-os novamente, mas em seguida os arregalei com uma velocidade absurda e já fui saltando dos lençóis.

— ESSA BICILETA É PARA MIM?! — Minha mãe e ela sorriram juntas.

Ainda nos lembramos de momentos que não são nem tão antigos, nem tão recentes, como em 2011, quando viajamos para Recife com o propósito de curtirmos o melhor espetáculo da minha vida: ver Amy Winehouse ao vivo. O show estava marcado para meia-noite, mas chegamos ao espaço às três da tarde. O objetivo era bem simples: ficar o mais próximo que fosse possível da Amy. E não é que conseguimos? Assistimos ao show da grade de proteção que dividia a plateia do palco. Rimos neste momento da conversa, relembrando a minha cara de susto, descontrole e histeria quando aquela mulher de um metro e cinquenta e poucos entrou no palco e disse sua primeira frase com uma voz inconfundível.

Visitamos também o momento em que eu encontrei a minha pessoa especial no mundo. Dia 21 de fevereiro de 2014, quando estávamos distraídos e eu esbarrei num olhar envolvente que me fez, automaticamente, me conectar e me apaixonar à primeira vista. Ela, minha amiga, tirou muito sarro de mim nesse momento do telefonema. Disse que eu fiquei tão bobo que ela achou que eu fosse estourar de tanta fofura. Fazer o quê? Quando nos apaixonamos, perdemos c-o-m-p-l-e-t-a-m-e-n-t-e a noção do ridículo. E, posso ser sincero? Essa é a melhor parte!

Depois de revivermos tantos momentos juntos, chegamos ao presente e ao nosso afastamento. Não podíamos evitar esse assunto, porque ele, no fim das contas, já estava entalado em nossas gargantas. Era uma situação difícil de sustentar. Onde já se viu, amigos que se gostam tanto se desencontrarem sucessivamente, sem que isso cause espanto a nenhum deles? Precisávamos colocar um basta nisso de uma vez por todas.

Foi aí que ela deixou seu coração falar mais alto e começou a me fazer uma série de perguntas: "Você tem certeza de que não me viu recentemente? Não me viu nos beijos que recebeu? Nem nos abraços? Não me viu naquele filme que compartilhou no Facebook indicando e dizendo que chorou de rir? Não me viu nos dias de folga? Não me viu na sua última viagem? Não me viu no carinho que fez e recebeu do seu cachorro? Não me viu quando comeu seu sabor favorito de pizza? VOCÊ NÃO ME SENTIU EM NENHUMA DESSAS E TANTAS OUTRAS OCASIÕES?".

Foram diversas perguntas seguidas sem que eu pudesse dizer uma palavra sequer. Decidi me calar. Sabe quando o mocinho dos filmes está fazendo uma serenata, esperando seu amor na janela para lhe entregar um buquê de flores, mas recebe um balde d'água na cara? Foi exatamente assim que me senti. E o pior de tudo: percebi que sim, eu tinha lembrado ou suspeitado da presença dessa amiga tão querida em todos os momentos que ela citou e em diversos outros. Pedir desculpas era o mínimo que eu poderia fazer, mas o fiz também para mim mesmo.

Se você, amigo, ainda não entendeu de quem foi o repentino chamado que recebi ainda há pouco, deitado no sofá, posso lhe dizer que foi ela: foi justamente a felicidade que me chamou para conversar. Ela sempre foi alguém muito, muito presente em toda a minha vida. Por conta da minha ansiedade, acabei ignorando a presença da felicidade em tudo que andei fazendo, justamente porque eu estava distraído demais procurando por ela, ainda que estivesse o tempo todo bem diante dos meus olhos.

Fiquei esse tempo todo caçando suas fotos em outdoors, em anúncios, em coisas grandiosas, e acabei me esquecendo de que ela, essa amiga ágil, esperta e brincalhona, gosta de se esconder nas menores coisas. Ela procura os motivos mais banais para nos fazer surpresas. Ela convida as pessoas mais especiais da nossa rotina para propor coisas novas, tudo com o objetivo de nos fazer felizes.

Depois de uma longa e franca conversa com a felicidade, decidimos, sim, fazer as pazes. Chegamos à conclusão de que um não viveria bem sem o outro. Somos complementares. Se um for o coração, o outro é o sangue que ele bombeia. Se um for o pulmão, o outro é o ar que o preenche. Se um for o cérebro, o outro é o pensamento que lhe sacode. Se eu abrir um sorriso, ela é o motivo. E desligamos, assim, com a promessa de que, pelo menos uma vez por dia, um chamaria o outro para conversar. E, olha, posso lhe garantir: entre nós dois, assuntos não irão faltar.

O destino,
no fim
das contas,
será sempre
o nosso
melhor
amigo.

Quero morar num dia ensolarado

Quinta-feira, manhã de um feriadão: abri as cortinas, em seguida as janelas, retribuí o bom dia dos passarinhos que estavam por ali, cantando, e prometi para mim mesmo que teria um dia leve. Que optaria sempre pela saída menos estressante diante de tudo que ousasse me derrubar ou azedar meu riso. De uma maneira que não faz muito sentido lógico, acordei com vontade de mudar de vida.

Sinto que vivi durante muito tempo dentro de uma nuvem carregada, sempre prestes a chover. Só que cansei. Cansei de me sentir denso, de me sentir para baixo ou negativo. Quero morar, agora, num dia ensolarado, se não puder morar no próprio sol. Quero responder a tudo e a todos com uma gargalhada, essa que mantenho em geral presa entre os dentes. Quero reagir com simpatia, ou pelo menos perder o meu semblante emburrado. Essa cara, que todos julgam ser por um ego inflado, na verdade, é por uma desconexão entre sonhos e realidade.

Antes mesmo de escovar os dentes, coloquei minha música favorita para tocar, para que o meu astral combinasse com o desejo que eu já tinha no peito. Depois do banho, abri o guarda-roupa e optei por uma camisa verde, daquelas beeem verdes mesmo, para fugir um pouco do meu figurino oficial – as roupas pretas. Sinto que, se eu fosse um desenho animado, nessa mesma cena, abriria as portas e jogaria para trás dezenas de peças com tons em escala de cinza até achar, como um minerador, a pedra preciosa que é uma roupa de cor vibrante.

Seguindo para o trabalho, estacionei o carro três quadras antes para me permitir andar um pouco. Gosto do clima das manhãs, quando não faz nem frio, nem calor. Aquele meio-termo em que o corpo só agradece por ter a liberdade de respirar aliviado, sem ter que compensar o excesso de temperatura, seja para mais ou para menos.

As cidades são tão cheias de prédios altos, enclausurantes e em cores sóbrias, que o colorido das folhas e das flores rouba a nossa atenção, nos afaga e nos convida a ficar por ali por mais um tempo. Foi o que eu fiz. Aproveitei que até o relógio acordou de bom humor e me permitiu, diferentemente dos outros dias, não estar atrasado e sentei-me num banco de praça, apenas para contemplar tudo que estava à minha volta. Não sei você, mas me sinto extremamente em paz comigo mesmo sempre que estou perto da natureza. Sempre que a paisagem está contribuindo positivamente para que eu me sinta livre.

Naquela manhã, de todas as pessoas que observei passar por ali, as únicas que não tinham o mesmo semblante sombrio e preocupado que eu estampava no rosto até ontem eram os idosos e as crianças. Talvez os mais velhos já tivessem entendido que certas coisas na vida só acontecem para que possamos crescer um pouco mais. Que a gente não precisa viver num eterno duelo com o destino. Isso justificaria seus olhares cansados, mas brilhantes em minha direção. E as crianças, ah, as crianças... Essas sabem melhor do que qualquer outra criatura sobre a face da Terra que tudo e nada é motivo de felicidade. De um pirulito a um balanço, tudo vale a pena. Ainda mais quando se tem alguém para nos empurrar cada vez mais alto, como se tocar o céu fosse só uma questão de se esticar mais um pouco.

Senti como se existisse um intervalo em nossas vidas. Um período entre ser criança e ser maduro o suficiente para não se cobrar tanto pelos erros que cometemos. Me dei conta de que o pior de tudo nesse espaço de anos é que gastamos um tempo absurdo tentando ser feliz de uma forma que só nos afasta da felicidade. Entramos num fluxo louco e perturbador de acumular dinheiro e acabamos esquecendo que comer bolo de chocolate na padaria da esquina pode ser tão prazeroso quanto aquele restaurante premiado com um *chef* internacional, que faz pratos que custam centenas de reais.

Entendi que eu precisava tirar a poeira da minha criança interior, antes que gastasse toda a minha juventude para aprender outras lições. Que precisava me levar menos a sério, perder um pouco da minha culpa por qualquer tropeço e encarar tudo de uma forma mais leve.

Cansei de me sentir anestesiado, de me sentir desanimado ou pouco otimista. Quero agora, todos os dias, gastar melhor o meu tempo com experiências simples, mas que me aqueçam o coração. Se sentar num banco de praça e curtir a brisa da manhã já me fez tão bem, estou ansioso para quando o tempo fechar e eu matar uma vontade que tenho guardada dentro de mim: tomar banho de chuva. Imagina o tamanho do sorriso que não vou soltar?

Observação: não pense você que tudo que fiz naquela manhã foi sentar e contemplar a vida alheia, ou usá-la de metáfora para a minha existência. Não, eu realmente falei sério quando disse que precisava tirar a poeira da minha criança interior. Ou melhor, agora, preciso também tirar a terra do corpo, pois tudo que fiz foi tirar os sapatos e ir brincar com aquelas crianças. Os vovôs até gargalharam para a gente, aprontando na caixa de areia. Todos os compromissos ficaram para depois. Acho que, naquela manhã, todos ficaram felizes por brincar de viver.

Inspiro,
expiro.
Repito o processo
por, pelo menos,
três vezes.
Ou até
meu coração
se acalmar.

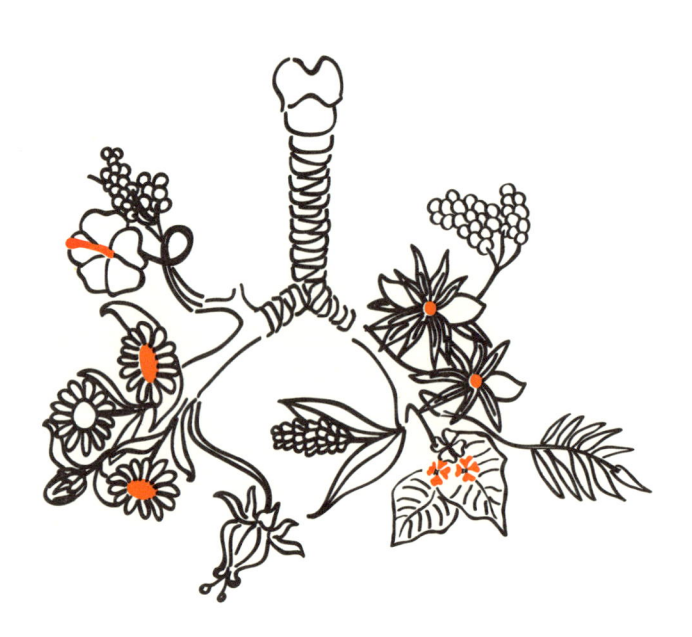

Endorfina vicia

Mais um feriado chegou e tudo que eu queria era não fazer nada de importante. Nada que exigisse programação, nenhuma viagem, nada que envolvesse agitação. Tenho andado com a mente um pouco barulhenta demais para aumentar o volume de tudo isso estando em meio a uma multidão, uma praia lotada ou uma festa escura, com luzes piscando e sem hora para voltar para casa. Prefiro o meu sofá, um livro que nunca tive tempo de terminar de ler – como os clássicos do Harry Potter que fui obrigado a ver nos filmes antes – e a paz que tudo isso me traz.

Parecia o cenário perfeito de um daqueles filmes com gosto de algodão-doce que vemos nas tardes chuvosas, se não fosse a pitada de pimenta que a ansiedade dá à minha vida. Aquele sabor tão forte que rouba todo o paladar a cada garfada. Nenhum outro tempero se sobressai. Nenhum outro é capaz de roubar para si o poder de alimentar saborosamente, por causa do ardor. A ansiedade arde, queima, ela parece com o refluxo, com a dor de estômago, ela deixa ainda mais ácido o meu suco gástrico.

Num momento, naquele feriado, eu estava lendo uma história empolgante. No outro... lágrimas. Comecei a chorar compulsivamente, como se alguém houvesse enfiado um dedo em meus olhos, que reagiam da pior forma possível. Meu coração, de repente, veio à boca. Parecia que uma descarga elétrica havia sacudido todos os meus circuitos. As minhas veias aparentavam bombear o sangue de três corpos. Meus pulmões travaram. A falta de ar também chegou para a ciranda, quando a ansiedade me jogou no meio do salão e trouxe todos os seus sintomas para me rodear.

Os segundos parecem anos bissextos quando entramos numa crise. Quando dedos imaginários surgem do além e começam a nos apontar todos os nossos defeitos, todos os nossos tropeços, todas as nossas oportunidades de sermos felizes que desperdiçamos por receio. Tudo começa a girar, como se duzentas vozes falassem ao mesmo tempo e nenhuma delas fosse terna, ou ao menos alta e firme o suficiente para ofuscar, ocultar todas as outras.

Respirei fundo.

I N S P I R E I. O mais devagar que pude.

E X P I R E I. Até que não restasse nem mais uma gota de ar em meu peito.

Fiz isso, tentando me reerguer, pelo menos umas dez vezes, até que um pensamento se abriu em minha mente, feito aquelas janelas repentinas que surgem em meio aos sites, quase sempre com alguma propaganda. Era a lembrança de um dos meus melhores amigos, o João, falando sobre como ele se sentia bem correndo. Ele tem a mania de sair para correr quando chega em casa estressado do trabalho ou quando algo não dá certo. Alguns preferem socar sacos de areia, ele prefere gastar as pernas. Já passei horas só ouvindo ele falar como a endorfina liberada após cada hora de exercício melhorava o seu emocional. Foi o bastante para mim. Rendi-me.

Tirei da caixa um par de tênis novo comprado havia quase um ano, na fútil promessa de me exercitar mais. Nunca cheguei a usá-lo, mas aquela parecia a oportunidade perfeita. Coloquei também aquelas roupas que só usamos nas academias, tinha pelo menos meia dúzia delas paradas ali no meu guarda-roupa. Sem saber ao certo o que estava fazendo, me alonguei, peguei os fones de ouvido, escolhi uma playlist abarrotada de músicas calmas – "Elephant Gun", da banda Beirut[1], estava lá – e saí de casa.

Comecei caminhando. Julguei não ter fôlego o suficiente para me aventurar a correr feito maratonista de uma hora para a outra. Depois de certo tempo, e a essa altura já nem lembro mais se havia se passado meia hora ou uma hora inteira, aceitei o desafio imposto por mim mesmo e comecei a correr. Dei passadas largas, e, a cada nova passada, outro mundo se abria em minha mente. O meu coração, ainda acelerado, me estimulava agora não mais a ter músculos trêmulos, mas sim a esticá-los e contraí-los ainda mais para que eu continuasse a ganhar velocidade. De uma forma absurdamente agradável, os meus pulmões pareciam duas sanfonas que se abriam e fechavam, emitindo um som de respiração saudável, daquelas que oxigenam o cérebro e o fazem gargalhar.

Fui e voltei de uma ponta à outra de uma avenida até sentar e, finalmente, descansar. Eu estava incrivelmente feliz. Parecia que todo o meu corpo estava em harmonia. Todos os meus órgãos se abraçaram coletivamente, saudando uns aos outros e agradecendo pelo trabalho em equipe, pela companhia.

Endorfina. O neurotransmissor da felicidade. Meu mais novo companheiro de vida, de existência, de completude. Foi paixão avassaladora, daquelas que a gente não discute. Beija. Carrega no colo. Pede em casamento e anseia pela lua de mel.

Voltei para casa com um sorriso de orelha a orelha, encharcado de suor, mas plenamente realizado por ter seguido os meus impulsos. Antes mesmo de tomar banho, liguei para o João, que havia surgido em minha mente no momento em que eu mais precisava de ajuda.

---

[1] "Elephant Gun", Ryan Condon, Zach Condon; 4AD/Ba Da Bing Records, 2007.

— Eu te amo e nem sei como agradecer pelo que você fez por mim — disse eu, agindo da mesma forma que uma criança soltando fogos de artifício, encantada pelas luzes e o colorido.

— Sei que sou incrível, que você não vive sem mim, mas não sei como salvei alguém hoje se minha roupa de Super-Homem está na lavanderia — desdenhou aquele amigo, com uma autoestima invejável.

Por fim, atalhando o nosso papo que ainda durou por muito tempo, expliquei que havia saído para correr e me viciado nas sensações que isso provocou em meu corpo. Desliguei logo em seguida, depois de dizer a seguinte frase:

— Então estamos combinados, não é? Passo em sua casa, amanhã, às seis.

Sim, agora, além de tudo, tenho um novo companheiro de corridas. Estou ganhando cada vez mais distância da ofegante e fora de forma *ansiedade*. E o melhor de tudo: estou ficando cada vez mais perto desse grande amigo, que consegue só com um sorriso e uma piada mudar meu dia. Minha vitamina favorita agora é a que mistura endorfina e amizade. Não tem pré-treino melhor. Estou me sentindo até mais fitness.

Apenas um conselho a todas as almas incompreendidas:

ESCREVAM.

Write to exist

Outro dia, me perguntaram por que é que comecei a escrever. Bem, já me fizeram essa pergunta algumas vezes e eu sempre disse: "Para desabafar". Só que, às vezes, a mesma pergunta é capaz de ecoar em um lugar diferente dentro da gente, e foi aí que parei para pensar de verdade, apesar de ter dito a mesma resposta para encerrar o assunto. Tenho uma tatuagem no braço direito que fiz logo após lançar o meu primeiro livro, *No meio do caminho tinha um amor*. Ela, uma das minhas paixões, é uma frase que diz "Write to exist". "Escrever para existir", em uma tradução literal. Acontece que eu nunca soube muito bem o que falar, como dizer ou quando. Por isso, comecei a escrever. Porque, se você se propõe a digitar ou usar lápis, caneta, formando frases em uma folha em branco, escutando apenas o que diz a voz que mora em seu peito, você não precisa ter medo de uma possível condenação. É só você, você e você mesmo. Sem mais ninguém que possa corrigir o seu português, se queixar do seu vocabulário ou, sei lá, te taxar de exagerado. Eu sempre ouvi que eu era dramático também. Mas nenhum papel que já me leu me disse nada além de "Eu te entendo".

O mundo talvez seja ameaçador demais para as pessoas com sentimentos à flor da pele. É que, veja bem, uma simples pergunta corriqueira como "Por que você começou a escrever?" já me sacudiu por dentro. Imagina o que uma briga não faz? Imagina o que uma nota baixa, uma demissão, um fim de namoro, sei lá, tantas desventuras, todo santo dia, não são capazes de nos fazer somatizar?

É por isso que eu escrevo. Começo sempre com a cabeça cheia e um rumo confuso, um caminho sem trilha, o qual preciso desbravar na mata fechada dos pensamentos. Vou tirando todos os pesos para facilitar as minhas subidas ou descidas, a depender do terreno das emoções e, ao fim de cada texto, estou livre. Leve. Estou despido, às vezes exausto, mas com o coração mais calmo, com a respiração menos densa e o corpo eletrizado.

Respondendo então, mais uma vez, mas de uma forma que todas as pessoas que me leem possam entender, digo que escrevo para desabafar, porque nem sempre consigo suportar tudo que acontece. É a minha forma de lidar com as coisas, tanto as boas quanto as ruins. Alguns cantam, outros fazem boxe, ainda tem aqueles que dançam, pedalam, correm, bebem etc. Eu escrevo. E não tem exorcismo melhor, ao meu ver.

Se eu pudesse dar só um conselho a todas as almas que se sentem carregadas de palavras entaladas, incompreendidas ou inconformadas, esse conselho seria: escrevam. Não se preocupe em ser lido, compartilhado, não se preocupe com as curtidas, nem com as más opiniões. Só se escute. Ou melhor, depois que tudo estiver ali, descrito, se leia. Veja o que você mesmo produziu. O quadro que você mesmo pintou. Seu autorretrato. Além de uma forma de desabafar, é uma maneira simples e direta de se reconhecer. No fim das contas, você não perde nada por ser honesto consigo mesmo. E posso garantir, com tudo que sou: faz um bem danado.

Devo um
"muito obrigado"
a todos aqueles que,
mesmo quando
o chão desaparecia sob os meus pés,
me sustentaram
para que eu não caísse.

Eu te cuido

Lembro claramente de um sábado de setembro em que eu estava terrivelmente angustiado. Eu precisava só de um amigo disposto a estar comigo, tomar um sorvete, caminhar um pouco. Então, liguei para a Larissa e ela só respondeu:

— Só espera eu trocar de roupa e pode vir me buscar.

Peguei o carro, parei na casa dela e voltamos, os dois, depois de quatro horas de conversa, mais leves.

Quando encontramos alguém para dividir os pesos da vida, parece que os ombros conseguem se reerguer mais facilmente, as lágrimas secam ou, pelo menos, diminuem de frequência. Seria egoísmo da minha parte me assumir como o meu próprio herói, sem distribuir os troféus para todos aqueles que me ajudam a suportar essa aflição que surge do nada e me sufoca. Acho que a vida tem uma lei de compensação. Existe a dor, mas existe o remédio. Existe o nó na garganta, mas também existem anjos da guarda que conseguem dissolvê-los sem grandes esforços, apenas nos emprestando os ouvidos, os (a)braços ou, ainda, conselhos extremamente sábios de quem só quer cuidar da gente, por mais que nem a gente mesmo saiba como fazer isso.

Sou muito grato ao universo por ter por perto pessoas que me querem um bem gigantesco. Amigos que se tornam verdadeiros predadores quando preciso de ajuda, de socorro, quando outras pessoas tentam me atacar. Sou feliz por ter, neste exato momento, para quem ligar e dizer: "Não estou bem, você pode só me ouvir?", e escutar do outro lado: "Sou todo ouvidos e coração".

Esses gestos, ao final de cada dia, contam muito, principalmente porque levei boa parte da minha vida sem tê-los. Só depois de muitas sessões de terapia que consegui entender que a minha ausência de amigos não tinha a ver com incapacidade de criar amizades, mas, sim, com dificuldade de me permitir criar laços mais fortes, de me entregar sem medo do julgamento. Entender isso me motivou a me abrir para os outros. Para os amores da minha vida, que é como gosto de chamar esses seres que iluminam o meu céu. Só sei mesmo que é reconfortante ter ao meu lado esses sujeitos que não me julgam, que não me acham imoderado ou patético. Que me entendem, me aceitam e, mesmo que não compreendam tão bem o meu estado, não fazem questão de grandes explicações quando eu não sou capaz de oferecê-las. Pessoas cujo amor que nutrem por mim me ajuda, dia após dia, a ver beleza na minha pessoa.

Devo um muito obrigado a todos aqueles que, mesmo quando eu sentia que o chão desaparecia sob os meus pés, me sustentaram para que eu não caísse. Eles me seguraram com toda a força que tinham para que eu não rolasse morro abaixo no precipício da existência. E olha que, se eu pudesse quantificar o tanto de sentimentos que carrego no peito, meu corpo pesaria toneladas. Certos pensamentos são tão, mas tão densos que se tornam quase palpáveis.

Tenho certeza absoluta de que não existem encontros por acaso. Todos nós temos missões na vida das pessoas com quem cruzamos. Ainda que eu não saiba bem como retribuir tudo que recebo de bom grado, me coloco à disposição e aceito a missão de fazer essas pessoas mais felizes.

E a elas, termino com um recado:

Aprendi desde criança com minha mãe o que é o amar na prática. Não só o amor do "eu te amo", mas o sentimento mais sincero do mundo, o "eu te cuido". Então, quero cuidar-lhes, assim como vocês me cuidam. Obrigado por gostarem tanto assim de mim. Isso muda a minha vida.

Epílogo

Pressa de ser feliz

Há quase um ano, tenho me dedicado a juntar as palavras deste livro. Comecei a pescar as ideias no auge da minha pressa de ser feliz. Parecia que o meu mundo todo urgia por realizações, por sorrisos, por abraços, por beijos e por afagos que aparentavam estar distantes da minha realidade. Os dias foram passando, os parágrafos crescendo, os capítulos também. Muitos, muitos textos ficaram pelo caminho, outros foram sendo remodelados e, para ser sincero, nem os que restaram e nem eu somos os mesmos de meses atrás.

Ao longo destas páginas, fui, de diversas formas, aprendendo a conviver com a ansiedade. Aprendendo quais eram as minhas limitações, aprendendo a aceitar o que eu não podia controlar e me impondo o suficiente para mudar o que era vital para mim. Aprendi também muito sobre coragem. Precisamos ter muita força de vontade para nos mantermos firmes na luta, a fim de conquistarmos o que sonhamos, o que queremos, o que necessitamos para nos sentirmos felizes. No mais simples e amplo grau da felicidade.

Diversos foram os meus obstáculos para que você estivesse lendo estas páginas agora. Para enumerá-los, precisaria de mais três livros, mas só quero dizer que, se sua vida parece difícil, não se engane: todas são. Todos nós precisamos suar as camisas e/ou molhar os travesseiros. Mas o que diferencia os que vencem dos que perdem é só o quanto cada um consegue sustentar o peso da própria existência e, apesar da sobrecarga, seguir em frente.

Eu não ousaria dizer que a ansiedade me trouxe coisas boas, mas preciso reconhecer que lutar para controlá-la me aproximou de um novo melhor amigo: eu mesmo. Nunca fui aquela pessoa que lidava bem com o coração que bate neste peito, mas agora, olha, agora eu sou apaixonado pela minha companhia e por curtir o silêncio envolto com os meus braços. Sem desmerecer, é claro, os que se estendem de bom grado para mim; eles foram e ainda são fundamentais para que tudo isso acontecesse, para que toda essa mudança se firmasse em mim, mas é diferente. Agora eu não me condeno tanto. Não me sentencio a uma prisão perpétua de infelicidade.

Durante a construção destas páginas, fui entendendo muito mais sobre a necessidade de perdoar as pessoas pelos erros que elas cometeram, ainda que não me pedissem perdão ou sequer reconhecessem que erraram. Desse jeito, consigo manter meu coração mais brando. E esse perdão que estendi aos outros é o mesmo que precisei duas vezes mais ofertar a mim. Fui percebendo ainda que a zona de conforto é superprotetora demais para me permitir abrir as asas. Aos poucos notei que eu tinha, sim, força suficiente para enfrentar problemas que, por mais que ninguém soubesse que existiam, me causavam pavor. Apanhei demais da vida, tenho cicatrizes, mas estou saindo destas páginas vitorioso.

Mudar não é tão ruim quanto parece. E posso te garantir isso, depois de giros de cento e oitenta graus. Cheguei a espernear porque nem tudo saiu como nos planos, em diversos dias da construção destas frases, mas agora (digo isso com um sorriso de canto de boca), eu não poderia estar mais feliz. Sim. Feliz. Feliz. Feliz. Feliz. Feliz. Feliz. Desculpa a repetição, é que é tão gratificante saber que chorei tanto e agora, nossa, agora meu coração está batendo com um ritmo tão mais tranquilo...

Antes de me despedir, antes de encontrar você só nas lembranças que espero que tenha deste meu livro e nas releituras que espero que faça, quero pedir que desligue o seu despertador, o seu cronômetro. Não tenha pressa para a felicidade chegar, porque ela é tão descarada que já entrou no seu peito, colocou os pés no sofá, abriu a geladeira, deixou a toalha molhada na cama, pegou emprestadas todas as suas memórias e se vestiu de gargalhadas. Todos nós somos felizes, mas nem todos nos deixamos perceber isso. Nem todos nos permitimos sentir de onde a alegria vem, onde ela está ou como podemos deixá-la ficar.

Estou me sentindo como um pai que precisa deixar o filho sair de casa e ir para a faculdade, trocar de cidade, e não consigo dizer tchau a você, mas, antes que eu me esqueça, se ouça. Se escute. Se dê toda a atenção. Seu sexto sentido é poderoso. Seu faro é forte. Não se subestime. Por favor, não se subestime. Você é capaz. Você merece ser feliz. Não se autossabote.

Que a pressa, a partir deste exato segundo, fique para trás. Estamos, eu e você, soltando as mãos dessa antiga companheira de viagem. Agora, cada um de nós vai seguir seu rumo, mas espero te encontrar mais vezes por aí. Foi um prazer dividir um pouco de mim e me misturar com você. Obrigado por tudo. Obrigado por esta viagem pelos nossos mundos. Desejo dias de força, de leveza, de plenitude. De menos ansiedade. Uma vida linda te espera lá fora! VÁ VIVER! Um beijo, um abraço, um cheiro no olho e... tchau (como dói dizer isso).